シュガーアップル・フェアリーテイル
銀砂糖師と緋の争乱
sugar apple fairy tale

「仕事だ！
砂糖菓子を作るぞ」

シュガーアップル・フェアリーテイル

銀砂糖師と緋の争乱

三川みり

18546

角川ビーンズ文庫

CONTENTS

シュガーアップル・フェアリーテイル
銀砂糖師と緋の争乱

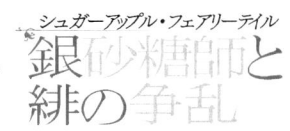

シュガーアップル・フェアリーテイル
STORY&CHARACTERS

妖精
ミスリル

戦士妖精
シャル

銀砂糖師
アン

妖精
エリル

妖精
ラファル

妖精
ベンジャミン

砂糖菓子職人
キース

銀砂糖師
キャット

今までのおはなし

「最初の砂糖林檎の木」にたどり着き、守護者である銀砂糖妖精筆頭が望むものを見事作り上げた銀砂糖師アンは、苦労の末ようやく「最初の銀砂糖」を手に入れる。しかし、「最初の銀砂糖」を狙う者たちが、アンたちの背後に忍び寄っていて——!?

砂糖菓子職人の3大派閥

3大派閥……砂糖菓子職人たちが、原料や販路を効率的に確保するため属する、3つの工房の派閥のこと。

銀砂糖子爵
ヒュー

ラドクリフ工房派
工房長
マーカス・ラドクリフ

マーキュリー工房派
工房長
ヒュー・マーキュリー
（兼任）

ペイジ工房派
工房長
グレン・ペイジ

砂糖菓子職人
ステラ・ノックス

工房長代理 銀砂糖師
ジョン・キレーン

工房長代理 銀砂糖師
エリオット

砂糖菓子職人
キング

砂糖菓子職人
ナディール

職人頭
オーランド

工房長の娘
ブリジット

口絵・本文イラスト／あき

一章　千年に一度の銀砂糖

冷水に、砂糖林檎《りんご》の実を浸《ひた》す。通常であればそこに一握《ひとにぎ》りの銀砂糖を加えなくてはならないはずだが、この時ばかりは必要なかった。最初の砂糖林檎の木に実る砂糖林檎は、最初の銀砂糖がなくとも、銀砂糖に精製できるのだ。

そして一晩冷水に浸した砂糖林檎を大鍋《おおなべ》で煮《に》て、溶《と》かし、どろどろになったものを冷やし固める。そしてそれを粉に碾《ひ》く。

「最初の銀砂糖」

碾き終えたばかりの銀砂糖は、青みがかった純白。上質の、さらさらとした手触《てざわ》りがするのだが、それが特別な銀砂糖であるという、変わった特徴《とくちょう》はない。

だがそれを精製したアンには、その銀砂糖の特別さがわかる。

できあがったばかりの銀砂糖を片方の掌《てのひら》ですくいあげてみるが、それでできあがった銀砂糖全《すべ》てだった。ほんの一握りなのだ。

一本の巨大《きょだい》な木に鈴《すず》なりになっていた赤い実を、アンは一つ残らず収穫《しゅうかく》した。そしてそれを冷水に浸し、煮溶かし、乾《かわ》かし、粉にした。

本来ならば、中樽《ちゅうだる》一杯《いっぱい》の銀砂糖が精製できてもいいはずだ。しかし砂糖林檎は煮詰《につ》めていくうちにみるみるかさを減らし、乾燥《かんそう》させるとさらに減った。大鍋にあふれるほどあった砂糖林檎は、アンの片掌におさまる程度まで凝縮《ぎょうしゅく》されたのだ。

大きな砂糖林檎の木がつけた実の全てが、掌に載《の》っている。掌の銀砂糖がずっしりと重いのは、その木の持つ不思議な力が、凝《こご》っているからだろうか。

草地に跪《ひざまず》き、アンは掌に載せた銀砂糖を、ぼんやりとした感動とともに見つめていた。

──これをシャルの手に渡《わた》せば、シャルの手から人間へ。そして砂糖菓子《がし》は消えずに残る。妖精《ようせい》と職人との未来が、消えないですむ。

風の音も虫の声もない、ガラス瓶《びん》の中に閉じこめられたような静寂《せいじゃく》の世界に、朝が訪《おとず》れようとしていた。淡《あわ》い光が周囲に満ちて、銀砂糖もアンの掌も、ほんのりと輝《かがや》く。

「それが最初の銀砂糖じゃ」

背後から、銀砂糖妖精筆頭が告げた。赤い瞳《ひとみ》の妖精もアンの隣《となり》に並んでしゃがみこみ、片眉《かたまゆ》をあげ小首を傾《かし》げて銀砂糖を覗《のぞ》きこむ。そして掌を、アンの掌の上にある銀砂糖にかざす。

「良いじゃろうて。力の満ちる、銀砂糖じゃの。さて、袋《ふくろ》に詰《つ》めるかの」

彼は一方の掌を上に向けると、そこを見つめる。するとそこに細かな赤い光の粒《つぶ》が寄り集まり、小さな革袋《かわぶくろ》になった。アンが、草地の上に置かれた石の器《うつわ》の中に銀砂糖を戻《もど》すと、彼は手早く銀砂糖を革袋に移し替《か》え、口を縛《しば》る。

銀砂糖を精製するために、二日間。作業をしながら、銀砂糖妖精筆頭と同じ空間で過ごした。

必死で作業をしているときには、筆頭の存在は砂糖林檎の木の気配と同化して、そこに存在することすら忘れてしまいがちだった。だが砂糖林檎を水に浸す間や、煮詰めた砂糖林檎の乾燥を待つ間、ふと気がつくと、彼は最初の砂糖林檎の木の根元に座りこんで、物珍《ものめずら》しげにアンを眺《なが》めている。

何げなく近づき、その隣に腰《こし》を下ろしても、いやがる気配もなければ歓迎《かんげい》する気配もなく、ただぼんやりとアンを見やるのだ。

その間、ぽつりぽつり、筆頭は記憶《きおく》の糸をたぐり寄せるようにしてエマの話をしてくれた。

「アン、心せよ。砂糖林檎の木は千年に一度休む。そして翌年には、最初の銀砂糖となる力ある実をつける。だがこれは千年の力が凝った砂糖林檎じゃ。最初の銀砂糖となれる砂糖林檎の実は、今年しか実らぬ」

筆頭がすらりと立ちあがると、銀の髪《かみ》がさらさらと肩《かた》から滑《すべ》り落ち揺《ゆ》れる。

その意味が飲み込めずにアンは目をぱちくりとさせた。

「わかりづらいかの？　たしかに最初の砂糖林檎の木には、毎年砂糖林檎が実を結ぶ。しかし最初の銀砂糖となれる力をもつ実が実るのは、今年のみ。砂糖林檎の木が休んだ、翌年のみなのじゃ。であるから、この最初の銀砂糖を失えば、次にこれが手に入る機会は、千年後じゃということ」

「千年後⁉」

ではこの一握りの銀砂糖をなくしてしまったら、砂糖菓子は千年間、地上から消えざるを得ない。そういうことなのだ。それは人間にとっては、ほぼ永久に砂糖菓子を失うのと等しい。

——なんて、危《あや》うい。

けれど幸福を招き、妖精の寿命《じゅみょう》すら延《の》ばす力を持った砂糖菓子が、簡単に地上に存在できるわけはないのだ。力があるからこそ、その存在には膨大《ぼうだい》ななにかのエネルギーが必要なのかもしれない。

砂糖菓子という存在の、不思議と危うさ。そしてだからこそ大切で、美しいのだと震《ふる》えるほどに肌《はだ》に感じる。

立ちあがった筆頭を見あげた後、アンは跪《ひざまず》いたまま頭をさげた。

「銀砂糖妖精筆頭。改めてお願いします。わたしたちに……いえ。妖精王シャル・フェン・シャルに、その銀砂糖をお渡しください」

シャルが銀砂糖妖精筆頭の力でどこかへ放《ほう》り出されて、既《すで》に二日。

シャルを放り出した場所は、そう遠くではないと言った筆頭の言葉を信じるならば、シャルはもうすぐここに戻ってくるはずだと確信していた。

「彼がここに帰ってきたら、手渡《てわた》してください。お願いします」

銀砂糖妖精筆頭と妖精たちが呼ぶ彼が、アンにとっては、砂糖菓子の神そのもののように思える。その彼が守護するものを欲《ほっ》するならば、改めて、礼をもって今一度、希《こいねが》う必要を感じた。彼は、誠実に向き合わねばならない存在。彼は存在そのものが奇跡《きせき》のような砂糖林檎の、銀砂糖の、砂糖菓子の守護者なのだ。

跪き頭《こうべ》を垂れるアンと、それを見つめる筆頭の姿は、明るさを徐々《じょじょ》に増す世界の中で、砂糖菓子の神と、その神にかしずく信徒そのもの。

そうしながらアンは、人間の砂糖菓子職人たちが信奉《しんぽう》する砂糖菓子の守護聖人、聖エリスの聖画を思い出す。聖エリスもまた砂糖林檎の木の前でかしずく姿で描《えが》かれる。あの姿は人間が、砂糖菓子を創造した妖精に対して無意識に、尊崇《そんすう》の念を抱《いだ》いたからではないのだろうか。

「よかろう。ただし、渡すのは妖精王にではない。我はそなたに渡すのじゃ、職人。アン・ハルフォード」

「え？」

思わず顔をあげると、筆頭は微笑《ほほえ》んでいた。

「かつて我は妖精王以外の者に、これを手渡したことはない。しかし今なにかの巡《めぐ》り合わせで、我の前にいるのは妖精王ではなく、そなたじゃ。我ら生き物の知恵《ちえ》や思惑《おもわく》など、浅はかなものに頼《たよ》ることなく決断するならば、自然の流れとして、これはそなたの手に渡すべきものじゃと我は感じる」

筆頭は手にある銀砂糖の袋を差し出す。

「取るのじゃ、アン。そなたの手に、これを」

アンは、筆頭の顔と銀砂糖の袋を見比べた。

——わたしが、これを？

本来ならば妖精王の手に渡されるべきものを、人間の、しかも王様でもお姫様《ひめさま》でもない自分が受け取っていいのだろうかと迷う。

「でもわたしは、人間で。しかもただの職人で」

迷いを口に出すと、筆頭は頷《うなず》く。

「妖精ではなく、王でもない、一介《いっかい》の職人でしかないそなたに渡すのじゃ。それが、このたびの巡り合わせだと思うからじゃ」

巡り合わせ。

その言葉はこの場所に来てから、アンの胸に幾度《いくど》も幾度も響《ひび》く。まるでそれを胸に刻めと命じられるかのように、様々な事柄《ことがら》が、巡り合わせを彼女に意識させる。

百年前にこの場所に飛びこんできた小さな少女エマが、ここで砂糖菓子作りを学び、外の世界で生きて死んだ。そして彼女がこの世に残した娘《むすめ》のアンが、どういうわけかこの場所に、エマの道具とともにやってきた。

エマは娘のアンにすら、この場所のことを教えなかった。筆頭に教わっていたはずの、妖精たち独特の砂糖菓子作りの技術も、教えないどころか、自らも使っていなかった。そうやってエマは全《すべ》てを隠《かく》し、縁《えん》を断ち切ったのに、廻《めぐ》り廻って、ここを出ていった小さな砂糖菓子作りの道具が、また戻ってきた。

巡り合わせという、逆らいきれないものがここにアンを導いたのなら、それに従うべきかもしれない。その巡り合わせは不幸なものばかりを投げかけているのではなく、結局は、世の中にあるものをあるべき姿に戻そうとする力のようにも思える。

それに逆らわず、信じてみるのも方法なのかもしれない。

――ママ。

エマの姿を思い出そうとすると、常に哀《かな》しみが心のどこかにせりあがってくるのは、どうしようもなかった。泣くこともないし、死の事実は受け入れているのに、条件反射のようにやってくるのだ。

だが今この瞬間《しゅんかん》は、不思議なほどの温かさだけを感じながらエマの笑顔《えがお》を思い出せた。

筆頭がこの二日間、ぽつりぽつりとだが、少女だったエマの生き生きとした姿を語ってくれたからなのかもしれない。今までにないほど鮮《あざ》やかにエマの姿が目に浮《う》かぶ。

少女のエマは、最初、どこかに魂《たましい》を置き忘れてきたようなあやふやな笑顔を顔に張りつかせて、ぼんやりしている子供だったという。だが緩《ゆる》やかに流れる時間の中で、彼女は筆頭と話をするようになり、家族のことを語り出したという。

そしてある日、突然《とつぜん》に、大声を出して泣いた。

それから彼女は、少しずつ変わっていった。目の前にいる筆頭の存在にはじめて気がついたような顔をして、筆頭のことをなんでも知りたがった。砂糖林檎《りんご》の木を「可愛《かわい》い」と言って、そのたたずまいが好きだと言うようになった。

そしてある日、砂糖菓子《がし》を作りたいと希望を口にした。

彼女は、まるで自分の心の中にある言葉や思いをなぞるように、飽《あ》きもせずに砂糖菓子を作っていたという。筆頭はそんな彼女に砂糖菓子作りの技術を、あますことなく教えた。

そしてエマはある日、筆頭に告げるのだ。外へ行きたいのだと。

その思いはエマの中で生まれ、渇望《かつぼう》となって、彼女を突《つ》き動かしたのだろう。

閉じられた安全な世界で、なんの変化もなく漫然《まんぜん》と生きて死ぬよりは、暑くても寒くても、苦しくてもいいから、自分の足で歩き、生きていると実感したいと。

アンには、その思いがよくわかる。エマと旅した十五年があったからなのかもしれないが、アンも結局、旅を選んだ。

エマが死んだとき、ジョナスのお嫁《よめ》さんになり、安全で安定した生活を選ぶこともできたのに、それに魅力《みりょく》を感じられなかった。

自分の足で歩きたかったのだ。

エマも同じだったのかもしれない。

だから瞬《また》く間に死んでいくと言われ突き放されるように放り出されても、全てを覚悟《かくご》でエマは旅したのだ。様々なことを笑い飛ばし、陽気で、過酷《かこく》な状況《じょうきょう》すら楽しむようだったエマの満足感を、アンはやっと本当に理解できる。

　そして彼女が選んだことが、巡り合わせの一部になっている。

　巡り合わせを受け取ることは、エマの願いのような気もする。

「わかりました。受け取ります、わたしが」

　頷くと、手を伸《の》ばした。緊張《きんちょう》のために指がわずかに震えていたが、それでも、銀砂糖妖精《ようせい》筆頭の手から銀砂糖の袋《ふくろ》を受け取った。その重みを心に感じ、そしてしっかりと胸に抱く。

「確かに、受け取りました」

　見あげると、赤い瞳《ひとみ》がアンを見おろしていた。そして彼の指先が、彼女の額に触《ふ》れる。

「汝《なんじ》が最初の銀砂糖の受け手。それは汝のものであり、汝の思いで使うが良かろう」

　筆頭の指が額から離《はな》れると、託《たく》されるものの重さに、アンは再び頭を垂れた。

「心して使います」

　そしてできる限り誠実に、自分の決意を口にしようと、言葉を選ぶ。

「使います。全ての未来に、最善の方法で」

　筆頭は厳《おごそ》かに頷く。

「さて。程《ほど》なく妖精王も戻《もど》ってくるであろう。さすればそなたはここを出て……」

　と、筆頭が言いかけたが、ふとなにかに気がついたように、上に視線を向ける。

その視線を追ってアンも上を向くと、明るい朝の光が満ちる、ゆらゆらと揺《ゆ》らめく空の一点がちかりと輝《かがや》く。その輝きが急激に膨《ふく》れ、そこから小柄《こがら》な少年妖精の影《かげ》が落ちてきた。下草のうえに片膝《かたひざ》をついて着地したのはエリル・フェン・エリルだった。

驚《おどろ》きに、アンは立ちあがった。

「エリル！」

激高したラファルを追って、今にも泣き出しそうな顔をして出ていったエリルのことが気が気ではなかった。ラファルはエリルを慈《いつく》しんでいるので、滅多《めった》なことはしないだろうとは思った。

だがラファルの、余裕《よゆう》のない、憎《にく》しみに取り憑《つ》かれた様子は恐《おそ》ろしくて、彼がなにかの拍子《ひょうし》にエリルにまでむごい真似《まね》を働くのではないかと心配だった。

しかしエリルが無傷で、こうやって戻ってきてくれたことに心底ほっとした。

ゆっくりとこちらに向かってくるエリルを笑顔で迎《むか》えようとしたが、エリルは、どこか思い詰《つ》めた表情をしていた。銀の瞳は鋭《するど》くじっとアンを見つめ、唇《くちびる》は引き結ばれている。ちらりと周囲の気配を窺《うかが》うように視線を廻らせるが、まるで戦いを挑《いど》もうとする者のような雰囲気《ふんいき》だった。その雰囲気だけならば、恐ろしいと思ったかもしれない。だが彼の銀の瞳は鋭くアンを見つめながらも、今にも泣き出しそうに潤《うる》んでいる。その、ちぐはぐさ。

「どうしたの？　エリル」

幼く無邪気《むじゃき》な彼に似つかわしくない複雑な表情に、アンは戸惑《とまど》った。

「シャルはどこなの？　アン」

こちらに近づきながら、エリルが問う。

「外へ出ているの。でももうすぐ帰ってくるはずなの」

「そう……。あなただけなんだね。それで、銀砂糖は手に入ったの？」

「ええ。これ。ごめんね、エリル。わたしがここに来たばっかりに。ラファルはどうしたの？」

問うとエリルは、ひどい痛みを堪《こら》えるように眉根《まゆね》を寄せた。

「ラファルは……」

そして俯《うつむ》き、立ち止まってしまった。怪我《けが》でもしているのかと、アンは彼に駆《か》け寄って、顔を覗《のぞ》きこんだ。

「どうしたの、エリル。ラファルが、どうかしたの？」

「……アン」

エリルは顔を上げると、両手で、銀砂糖の袋を握《にぎ》っているアンの両手をゆるく包むようにして握る。その手は震《ふる》えている。

「震えてる。なにがあったの？」

「僕は、……アン。ごめんなさい」

「どうしちゃったの、エリル」

問うのと同時に、自分の手の中にあった銀砂糖の袋がぐいと引っ張られた。あっと思う間もなかった。銀砂糖の袋はエリルの手に移っており、そしてそうと知った瞬間には、エリルはもう、真上に向かって跳躍《ちょうやく》していた。

「エリル！」

悲鳴のように呼び、アンは上へ向かって手を一杯《いっぱい》に伸ばした。背後にいた銀砂糖妖精筆頭は、アンの異変に気がつき、彼女の手に銀砂糖の袋がないことを認めたようだった。

「なにをするか!?　妖精王よ！」

筆頭はさっと片手をあげて、空に向かって真横に振《ふ》る。すると彼の指先が撫《な》でた場所から、空の色が消え始める。この空間の境界を閉じようとしているのだ。

しかし一瞬《いっしゅん》だけ遅《おそ》かった。エリルの姿は光る一点に変化し、境界が閉じるすんでの所で、吸い込まれるようにして消えた。

愕然《がくぜん》として、アンは空を見あげていた。

「取られた……」

なぜ、どうしてと、心の中で問う。しかし立ち尽《つ》くしていたのは一瞬で、アンはふり返ると、筆頭のローブの胸元《むなもと》を掴《つか》んで揺すぶった。

「お願いです。わたしを今すぐ、外へ出してください！　取り返さないと、最初の銀砂糖！」

「ならぬ。外には、ラファルがおる。あやつはそなたの命を狙《ねら》っておるのじゃぞ。これは奴《やつ》らが、そなたをおびき出すためかもしれぬ」

「かまいません！」

力の限り叫《さけ》んだ。

「また刺《さ》されても、八つ裂《ざ》きにされても、最初の銀砂糖だけは守らなくちゃならないんです！　妖精のみんなが、職人のみんなが、待ってる！　ルルが待ってる！　シャルが、望んでいるんです！」

「ならぬ！」

「お願いです、お願い！　今取り戻せなくちゃ、わたしはこの先、息をすることだって苦しくなります！」

「そなたは……」

未知の生き物を目の前にしたかのように、筆頭は目を見開いた。

「お願いです！　わたしは、最初の銀砂糖を受け取った責任があります！」

アンの決意の言葉に、筆頭は表情を改め、厳しく問う。

「八つ裂きにされても、後悔《こうかい》はせぬか」

「しません！」

「よかろう。職人よ。その覚悟ならば、行くが良い！」

筆頭はアンの肩《かた》に一方の手をかけると、もう一方の手で空を撫でるような仕草をした。

その途端《とたん》、体がふわっと持ち上げられるような感覚がして、目の前が白く輝いた。まぶしさに瞼《まぶた》を閉じると、浮《う》いた体がくるりと上下逆転するような違和感《いわかん》があり、そして次の瞬間《しゅんかん》、冷えた空気の中に放《ほう》り出された。

足から落下したアンが膝《ひざ》と両手をついた場所には、湿《しめ》った下草の感触《かんしょく》があった。目を開けると、そこは水の香《かお》りがする砂糖林檎《りんご》の林だった。

吹《ふ》き抜《ぬ》けた風が髪《かみ》を横に吹き流し、砂糖林檎の木の葉がざっと鳴る。

音すらろくにないぼんやりとした世界から、急に現実世界に放り出されたことで、感覚のずれがあるのか、すこしばかり呆然《ぼうぜん》とした。しかしすぐにぎょっとし、身構えた。

「エリル」

十数歩の距離《きょり》を空けて、エリルがこちらを見つめて立ち尽くしていたのだ。

「アン……。来ちゃったんだね、やっぱり」

エリルは戸惑い、恐れるように呟《つぶや》くと、まるで追い詰められたかのようにじりじりと後じさる。星の光を集めたような銀の髪がおののくように揺れ、今はその輝きすらも不安げだ。その様には、抱《だ》きしめたいような幼さと同時に、無意識に他者を誘惑《ゆうわく》しそうな、危《あや》うい艶《なま》めかしさすらある。

アンは立ちあがり、彼を脅《おど》かさないようにゆっくりと手を差し出す。

「エリル。お願い、返して。それがなければ妖精たちの未来が開けない。それさえあれば人間と妖精《ようせい》が一緒《いっしょ》に幸せに暮らせる世界の一歩が、踏《ふ》み出せるかもしれないの。それは人間と妖精が信頼《しんらい》し合うための、証《あかし》になるものなの。人間の王様も、それを望んでいるの。それは、未来そのものなの」

「未来……」

「エリル、お願い。考えてみて、妖精の未来を」

するとエリルは頭痛でもするかのように頭に片手を当て、泣きそうな顔をする。

「アンは、考えろって言う。けれど考えても考えても、僕は、胸が苦しくて二つに裂《さ》けちゃいそうなのに」

「それは」

焦《あせ》って言葉を返そうとしたが、

「考える必要はない、エリル」

静かにいたわるような優《やさ》しく甘い声が、エリルの背後から聞こえた。聞き覚えのあるその声にアンは一瞬息が止まる。恐怖《きょうふ》のためにか、ひくりと喉《のど》が鳴った。体が強《こわ》ばる。

銀灰色《ぎんかいしょく》の木々の間からゆっくりと歩み出てきたのは、薄緑《うすみどり》と薄青に、金の輝《かがや》きを混ぜたような曖昧《あいまい》な髪色の、魅惑《みわく》的な妖精王の一人、ラファル・フェン・ラファルだ。

彼は背後に屈強《くっきょう》な妖精たち三、四十人を従え、口元に優しげな微笑《びしょう》をたたえている。

「良くやったなエリル。いい子だ」

ラファルはエリルに近寄ると、彼の肩を、いたわるように撫でる。しかしエリルはまだ顔を歪《ゆが》めている。

「これで、いいよね。ラファル、満足だよね。これでラファルは、哀《かな》しくないよね」

「満足だよ。エリル」

苦しげなエリルの様子に気がついていないらしく、ラファルの微笑は心から満足そうだった。

――おびき出された。

それは確かだ。だがそれを承知でこうやって出てきたのだ。

なんとかしてエリルの手から、銀砂糖の袋《ふくろ》を取り戻《もど》せないだろうか。恐怖にすくみながらも、アンはエリルとの距離を測っていた。足は震えているし体の芯《しん》は凍《こお》ったように強ばっている。だが闇雲《やみくも》にでも、彼の手から銀砂糖をもぎ取りたかった。

銀砂糖をもぎ取った瞬間に、ラファルに斬《き》られるかもしれない。だが、かわせるかもしれない。一か八《ばち》かやってみるしかない。

「エリル。銀砂糖をわたしに渡《わた》して、向こうへ行っていろ。あとはわたしが引き受ける」

銀砂糖がラファルの手に渡ってしまえば、終わりだ。アンは身構えた。恐《おそ》ろしかった。とても動けない気がした。崖《がけ》っぷちから飛び降りろと命じられている気がした。だが取り戻さなければならないのなら、彼に体当たりするしかない。

つま先に力をこめて駆け出そうとしたとき、ただ、大好きな人のことを思った。

――シャル!!

心の中で、悲鳴をあげるように呼んだ瞬間。

「動くな！　アン！」

聞きたくてたまらなかった声が、アンを呼んだ。

声の方向をふり向くと、池を回りこむようにして黒い色彩《しきさい》の妖精が、銀灰色の木々をぬって、木の葉を揺《ゆ》らして駆《か》け抜けてくる。

「シャル！」

朝日を蹴散《けち》らすような素早《すばや》さで、黒い髪が背後になびき光る。黒い瞳《ひとみ》は鋭《するど》い緊張感《きんちょうかん》をたたえていたが、いつもと同じく、深く美しい色だ。その姿を目にすると安堵感《あんどかん》と喜びが膨《ふく》れあがり、目が潤《うる》む。

エリルはまだ頭を抱《かか》えて顔を歪めていたが、ラファルはエリルの前に出て、剣《けん》を手にして身構えた。シャルが到達《とうたつ》する前にアンに躍《おど》りかかろうとしたのだろうが、そのとき、エリルが悲鳴のような声をあげる。

「ラファルやめて！　殺さないで！」

その声でラファルの反応が遅《おく》れた。

その一瞬で、シャルはアンの正面まで到達していた。彼は銀の剣を掌《てのひら》に出現させると、アンに背を見せて構える。片羽が緊張に震《ふる》え、硬質《こうしつ》な銀の輝きを纏《まと》った青になる。

「シャル……。シャル」

両手で口元を覆《おお》い、涙声《なみだごえ》で名を呼んだ。

「待たせたか？」

背を向けたまま、シャルが優しく囁《ささや》いてくれた。

「なにがどうなってる」

「エリルが。エリルが、最初の銀砂糖を持ってる」

告げると、シャルは驚《おどろ》いたらしく、ちょっとアンをふり返る。

「筆頭から、手に入れたのか？」

「筆頭は事情をわかってくれて、わたしに銀砂糖を託《たく》してくれるって」

「おまえは、どんな魔《ま》法《ほう》を使った？」

心底驚いたらしいシャルの呟きに、アンは首を振《ふ》った。

「わからない。でもたぶん、ママが助けてくれたの。わたしのママは、昔あそこにいたみたい。筆頭はママのこと知ってた。それで銀砂糖を受け取ったけれど、エリルに奪《うば》われて」

なぜアンの母親があの場所にいたのか、シャルは、いまひとつふに落ちないような表情だったが、肝心《かんじん》な所は理解したらしく、

「最初の銀砂糖。……それがあの袋か」

再び正面に視線を戻し、エリルの手にある袋に視線を向ける。

「最初の銀砂糖は、たったあれだけしかないの。あれを持って帰らないと、銀砂糖は永久に精製できない。あれを失えば、次に最初の銀砂糖が手に入るのは千年後だって」

「千年だと？」

「そうだって筆頭は言ったの。ここで失えば、人間も妖精も、千年、砂糖菓子《がし》を失う」

にわかには信じられないような顔をしていたシャルだったが、アンの必死の訴《うった》えが、勘違《かんちが》いや冗談《じょうだん》でないとすぐに悟《さと》ってくれたらしい。彼の表情は厳しくなる。

「千年か」

シャルはラファルを牽制《けんせい》しながらも、その背後にいるエリルに穏《おだ》やかに語りかける。

「エリル。聞け。人間王は妖精との共存の道を模索《もさく》している。彼は妖精と人間は対等だという誓約《せいやく》すると約束した。その条件は二つだ。一つは最初の銀砂糖を持ち帰ること。二つ目は、三人の妖精王の意思を、人間との共存を望む方向へ統一することだ。誓約の持つ意味はわかるか？」

するとエリルではなく、ラファルがくすくすと笑いはじめた。

「誓約だと？　そんな誓約を人間がしたからといって、それが現実になると思っているのかシャル？　そんな誓約は成立しても、教会の隅《すみ》に埃《ほこり》を被《かぶ》ったまま放置され、誰《だれ》にも顧《かえり》みられることなどないだろう。人間どもの世界が、その誓約で変わるわけはない」

「今は、それでいい」

「なに？」

ラファルが眉《まゆ》をひそめる。

シャルは静かな瞳で、しかし確信をこめて言葉を紡《つむ》ぎはじめる。

「その誓約は、百年、二百年、顧みられることはないかもしれない。だが今、妖精たちが銀砂糖妖精として人間の中に立ち交じり仕事をしようとしている。彼等の存在があたりまえになり、王国社会の中に、しっかりとした地位を築くのに百年もしくは二百年。そのときになって社会の中に組み込まれた妖精に対して、人間が排除《はいじょ》の感情や嫌悪《けんお》の感情を持ったとき、誓約は効力を発揮する。人間と妖精は対等なのだ、と。それは認められているのだと、妖精は言える。それが根拠《こんきょ》になる。妖精を排除しようとする人間たちは、反論の根拠をなくす。逆に妖精を擁護《ようご》する人間たちは、安心して妖精に味方する」

彼の言葉は未来への希望というよりも、祈《いの》りにすら聞こえた。するとラファルが重ねて問う。

「誓約など、その当時の人間王が気まぐれに結んだだけのもの。それにそれほどの力があるか？」

「誓約そのものに、力はない」

明言したシャルの言葉に、アンは目を瞬《しばた》き、ラファルもまた驚いた表情を一瞬《いっしゅん》見せた。

「だが誰もが、自らの行動の根拠を求める。自らが正しいと、思い込みたい。正しい根拠を求める。その根拠を俺たちが用意しておく。力のない、ただの気まぐれに刻まれた文字が、根拠を求める者には絶対的な根拠にもなり得る。根拠を求める者が、誓約に力を与《あた》える」

冷静な瞳で、しばし沈黙《ちんもく》したラファルは再び低い声で訊《き》く。

「屈辱《くつじょく》を、百年、二百年、耐《た》えろというのか。おまえは妖精《ようせい》王たる身で」

「ならば永久に屈辱に怒《いか》り続け、永久に戦うか？」

シャルの深い黒い瞳と、曖昧《あいまい》な色のラファルの瞳が睨《にら》み合う。

「百年後、二百年後に効力を発揮するかなど、わからないじゃないか？」

「確証はない。だがこれは可能性だ。聞け、エリル。銀砂糖を渡して、人間と共存する道を選ぶと誓《ちか》え。そうすれば未来の可能性が開ける」

「聞く必要はない、エリル。聞くな。屈辱に耐える時を終わらせればいいだけのこと。おまえがその手で、妖精の世界を取り戻せば、耐えながら、不確かな可能性にすがる必要はない」

二人の兄弟石の言葉に、エリルは追い詰《つ》められたかのように唇《くちびる》を震わせると、両手で頭を抱える。

「だから僕に、どうしろっていうの？」

「エリル。聞け。もうすぐここに王国の兵士が来る。その前に、そこにいる配下の連中を説得し、ここを離《はな》れろ。とりあえず人間との衝突《しょうとつ》は避《さ》けろ」

その言葉に、アンはぎょっとした。なぜ兵士がここにやってくるのだろうか。

兵士たちがここに来てしまえば、間違《まちが》いなくラファルと衝突するだろう。妖精王の一人が人間と戦ってしまえば、シャルがエドモンド二世にした、妖精王の意思統一の約束が、その瞬間《しゅんかん》果たされなかったという証拠《しょうこ》になりかねない。そうなればもう、国王の執務《しつむ》室に置かれたあの美しい白い石板は、無残に砕《くだ》かれる。

「王国の兵士が来る!?」

ラファルが勝ち誇《ほこ》ったように、高笑いした。

「やはりそんな結果しかついてこないのだな、シャル！　人間王が妖精との共存を望んでいながら、ここへ兵士を送りこむのか!?　人間は信ずるに足りない生き物だ！　エリル、人間を信じるな！」

「派兵は人間王の意志ではない！　聞け、エリル。人間との衝突を避けろ！」

「聞くな、エリル！」

「やめて！」

エリルが悲鳴をあげた。

「もう嫌《いや》！　嫌だ！　考えたくない!!　勝手にして！　僕は知らない！　わからないもの！」

そしていきなり、ぱっと跳躍《ちょうやく》した。

「エリル!?」

「エリル！」

シャルとラファル、二人が同時に呼んだが、エリルは砂糖林檎《りんご》の細い木の枝を蹴《け》り、はるか遠くへ着地した。そして再び、跳躍する。あっという間に木々の葉に隠《かく》されて姿が見えなくなったので、ラファルが焦《あせ》ったように走り出そうとした。しかしその足元に、いきなり一本の矢が刺《さ》さった。間一髪《かんいっぱつ》でラファルは飛び退《の》き、矢の飛来した方を睨《ね》めつけた。歯の隙間《すきま》から絞《しぼ》り出すように呻《うめ》く。

「人間どもが……」

ラファルの背後にいた妖精たちも武器を手に身構え、シャルは舌打ちした。

「来たか」

そしてアンをふり返る。

「伏《ふ》せていろ！」

「でも、シャルは!?　エリルも！　エリルが銀砂糖を」

「今はどうしようもない。兵士とラファルの衝突を止めるのが先だ。いいか、動くな」

アンがエリルに追いつけるはずはない。シャルに頼《たよ》るしか方法はないが、今、この瞬間はシャルが言うように、ラファルと兵士たちとの衝突を回避《かいひ》させるほうが先だ。

シャルの切迫《せっぱく》した様子から、アンが下手《へた》に動けば、彼の枷《かせ》になると悟る。

池のほとりにある草地に、アンは急いで伏せた。矢が飛んできた方向から、かなり距離《きょり》がある。草の間に身を伏せると、湿《しめ》った土の香《かお》りが鼻をつく。

草葉の隙間から覗《のぞ》くと、砂糖林檎の木々の間から、騎馬《きば》兵の一団が姿を現す。三十人はいるだろうか。鎖《くさり》を編んだ胸当ての肩《かた》に、鳥の紋章《もんしょう》を縫《ぬ》いつけてあった。それはシルバーウェストル城の窓から見えた、州公兼《けん》銀砂糖子爵《ししゃく》後見人の居城、ウェストル城の尖塔《せんとう》にひらめいていた旗と同じ紋章だ。

――あれは宰相《さいしょう》、コレット公爵《こうしゃく》の兵士⁉

息を呑《の》む。国王に影《かげ》のように付き従い、じっと探《さぐ》るようにアンを見つめていた瞳《ひとみ》を思い出す。

――つけられていた？　それとも、別の方法でこの場所が知られたの？

最初の砂糖林檎の木がある場所へ国王側の人間が同行することを、コレット公爵はあっさりと諦《あきら》めた。本来ならごり押ししてでも国王側の人間を同行させ、最初の砂糖林檎の木がある場所を知りたいはずだ。それを簡単に諦めたことを不審《ふしん》に思ったが、こういうことだったのだろう。彼はなんらかの方法で、この場所を知る鍵《かぎ》を持っていたのだ。だからあのとき強硬《きょうこう》に主張せず、引き下がったのだ。

コレット公爵はエドモンド二世とシャルとの会話を傍《かたわ》らで聞き、二人の思いをよく知っているはずだ。その彼がこうやって兵士を送りこんでくるということは、彼は、国王の思いなど考《こう》慮《りょ》しないことの証明だ。彼はおそらく王国の安定のため、手段を選ばず、もっとも人間に有益な方法をとる。

思惑《おもわく》が蠢《うごめ》いてる。

ラファルの憎《にく》しみも、コレット公爵の策謀《さくぼう》も、シャルの思いも、様々なものが混沌《こんとん》として一つの流れに乗ってやってくる。その中でアンは願い、そして職人たちは砂糖菓子《がし》の存続を願い、動き始めている。

思惑や、願いや、祈りが、まるで奔流《ほんりゅう》のようだ。どれもこれも激しい、緋色《ひいろ》の、燃えるような色彩《しきさい》で王国を覆《おお》っている。この緋色の奔流は、アンたちを何処《どこ》へ押し流すのだろうか。

息をひそめ、アンは願った。

――どうかこの流れが、妖精たちの未来が明るい方向へ、職人たちの未来が明るい方向へ流れるように。

アンは下草の葉を握《にぎ》りしめる。

――祈ることしかできない。

アンは砂糖菓子を作ることしかできない、ただの職人なのだ。大きな流れを前に、髪《かみ》の毛一筋さえもシャルの助けにならない自分の存在が、もどかしかった。

シャルはコレット公爵の兵とラファル、双方《そうほう》を視線で牽制《けんせい》しながら、身構える。

「ラファル。戦うな。それよりも、エリルを追え」

ラファルの曖昧な髪色が、輝《かがや》く朱色《しゅいろ》に変化する。彼の背後にいる妖精たちもまた身構え、兵と対峙《たいじ》する。

ラファルはシャルの言葉に答えず、彼の言葉に、あざ笑うような、口元を歪《ゆが》めた微笑《びしょう》で応《こた》えた。

「人間たちよ。わたしが何者か知っているか？」

踏《ふ》み荒《あ》らされる下草の中で、虫の音もやんでいた。風が砂糖林檎の葉を揺《ゆ》らす音が異様に耳につく。兵士と妖精たち、双方の緊張感《きんちょうかん》で張りつめた空気の中で、ラファルの声が響《ひび》く。

「わたしは、妖精王《ようせいおう》」

「ラファル！」

シャルが、ラファルの名乗りを阻止《そし》しようとするかのように声を張ったが、言葉は兵士たちの耳に届いている。

兵士たちの表情に、一様に緊張感が走った。

おそらく兵士たちは、重要な仕事だと知らされて来たはずだ。だが秘匿《ひとく》されている妖精王の存在は、知らされていなかったのだろう。しかしそこは訓練を受け、なおかつコレット公爵が選抜《せんばつ》した兵士らしく、驚愕《きょうがく》で取り乱すことはない。彼等は自分たちが派遣《はけん》されてきた意味を、ようやく悟《さと》ったような表情ではあったが、目は落ち着いている。

「わたしは、妖精王。それを知って来たか？」

シャルが呻く。

ラファルが妖精王と名乗ってしまえば、彼の、人間に対する敵対行為《こうい》は、シャルがエドモンド二世と約束した「妖精王の意思統一」がなされていないという証拠になってしまう。それがコレット公爵の差し向けた兵士に対してならば、なおさらだ。

敵対行為がコレット公爵の耳に入れば、彼は、即座《そくざ》に国王に報告し、彼が好ましくないと思っている誓約《せいやく》の石板を砕いてしまう算段をするはずだ。

「わたしは妖精王だ。それを知れ、人間」

にやりと笑ったラファルの表情になにを感じ取ったのか、シャルは、身構えていた妖精たちに向かって渾身《こんしん》の力で怒鳴《どな》った。

「戦うな！」

「行け！」

シャルの制止と、ラファルが配下に命ずる声が同時に響いた。

ラファルは身を低くして駆《か》け出し、妖精たちが跳躍した。それを認めると、シャルも駆け出した。

兵士が、弓につがえた矢を放つ。一斉《いっせい》に放たれた矢は鋭《するど》い直線で妖精たちに殺到《さっとう》し、二人の妖精が体に矢を受け、下草の上に転がった。しかし先頭のラファルを含《ふく》む数人が、兵士たちに迫《せま》った。

間合いを詰《つ》められた兵士は弓を捨て、腰《こし》の剣《けん》を抜《ぬ》く。が、妖精たちの動きはそれを上回っていた。ラファルは兵長とおぼしき髭《ひげ》の兵士に狙《ねら》いをつけ、迫っていた。

ラファルの視線に捉《とら》えられた兵長は剣を抜き、構えようとする。だが、その前にラファルが跳躍《ちょうやく》していた。ラファルの剣先《けんさき》が落下の勢いとともに振《ふ》り下ろされようとした瞬間《しゅんかん》、横合いから流れてきた銀の輝きに弾《はじ》かれた。

　ラファルは体勢を崩《くず》して下草に膝《ひざ》をつき、銀の光が飛来した方をきっと睨《にら》む。

　シャルが自らの剣を投げ打ち、ラファルの刃《やいば》を弾いて人間を守ったのだと悟った瞬間、ラファルが吠《ほ》えた。

「貴様はどこまでも人間に味方をするのか！」

　シャルの剣はラファルの剣を弾いた衝撃《しょうげき》で、下草に覆われた地面に突《つ》き立った。それは、きらきらかな銀の光になって消える。そして右掌《みぎてのひら》を広げたシャルの手に、銀の光が集まり剣の形を作り始める。

「これは我々のためだ！」

　二人の妖精が睨み合う様を、兵長は張りつめた表情で見つめた。

　その三すくみの状態は、一瞬《いっしゅん》だった。

　激しく剣を打ち合う音が、周囲を包んだ。

　妖精たちの攻勢《こうせい》に、兵長は周囲に視線を向けると、眉《まゆ》をひそめた。そして、再び対峙する二人の妖精王に視線を戻《もど》し、戸惑《とまど》ったように顔を歪める。

　ラファルに視線を据《す》えたまま、シャルは兵長に向けて怒鳴った。

「宰相の兵よ、引け！　人間王と宰相の意志は違《ちが》うぞ！　ここから引いて、改めて宰相に問え！　そうでなければこれ以上、俺一人で、おまえたち全員を無傷で返す自信はない！　国王の意志に反する行為で無駄《むだ》に死ぬな！　おまえたちは宰相の兵であるまえに、王の民《たみ》だろう！」

「おまえは、何者だ」

呻《うめ》く兵長に、シャルは怒鳴った。

「妖精王の一人だ！　行け、死ぬな！」

「妖精王？　なぜ二人？」

兵長は、目を見開く。

「説明している時間はない！　行け！　国王に真意を問え！　死ぬな、行け！」

シャルの必死の言葉に、一瞬のためらいを見せた後、兵長は声をあげた。

「一時、撤退《てったい》する！」

いきなりの撤退命令に、兵士たちが驚《おどろ》いたように兵長を見やる。徹底《てってい》して戦うつもりで来たのだろう彼等にとって、意外すぎる命令だったのだろう。

「撤退する！　撤退！」

兵長は叫《さけ》びながら馬首を廻《めぐ》らし、馬の腹を蹴《け》って駆け出した。するとラファルがそれを追って駆け出そうとしたが、その前にシャルが立ちはだかった。

「人間に傷はつけさせない！」

ラファルは身構えたまま、撤退しようと動き出した兵士たちの方へ素早《すばや》く視線を走らせる。

そして、兵士の動きを追うべきかどうか迷う様子の妖精たちに向かって、怒鳴った。

「一人だ！　一人でいい、殺せ！」

その声に弾かれたように、妖精の一人が背に負う弓を手に取り、矢をつがえて狙いをつけた。

シャルはラファルを牽制しながら、顔だけをねじって、弓を構えた妖精に向かって怒鳴った。

「殺すな！」

しかしシャルの声と同時に、撤退のために馬を駆る兵士の背中に、矢が深々と突き立っていた。心臓の位置だ。

背中から心臓を貫《つらぬ》かれた兵士の体がぐらりと揺れ落馬しそうになったが、隣《となり》を走っていた兵士がそれを自分の馬の背に、力任せに引っ張り上げる。しかし力のないその体は、絶命していることが明らかだった。

シャルが、まるで自分が射貫《いぬ》かれたかのように愕然《がくぜん》とした。

二章　誰《だれ》よりも早く

兵士たちは絶命した一人の仲間を抱《かか》え、一気に砂糖林檎《りんご》の林の外へ駆け出ていった。

馬の蹄《ひづめ》の音と震動《しんどう》が消え去り、その場には肩《かた》で息《いき》をする妖精たちの呼吸の音だけが残った。

矢を体に受けた妖精たちも、よろめきながらも起き上がる。さほどの深手を負った妖精はいない。

だが、人間の側は違う。兵士が一人、命を落とした。

呆然《ぼうぜん》と、アンは下草の中に伏《ふ》せたまま動けなかった。

──……殺した。

その行為の意味がアンにもよくわかっていた。ラファルだって、そうだろう。だから彼は
「一人でいい、殺せ」と命じたのだ。

──コレット公爵《こうしゃく》に報告が届けば、これは妖精王の宣戦布告だって、公爵は国王陛下に言える。シャルと陛下が望む誓約は、砕《くだ》かれるしかない。

シャルが、押し殺した低い声で呻く。

「ラファル、貴様は……」

ラファルは楽しくてたまらないように、突然声《とつぜんごえ》をあげて笑った。

「これで我々には戦う道しかない！」

「貴様!!」

地を駆け抜ける風のように身を低くして、斬《き》りかかったシャルを、ラファルは大きく跳躍して背後にかわした。そしてまた笑う。彼の朱色《しゅいろ》の髪《かみ》が一層輝《かがや》きを増し、燃え立つ炎《ほのお》のようだ。

「いいざまだ、シャル。おまえがそんな顔をするのを眺《なが》められるのならば、しばらくは殺さないでおこう。おまえがどれほど悔《くや》しかろうが、これで人間も我々と戦う準備をするのだろう？ならばおまえも、もはや人間と戦うしかない。そこの小娘《こむすめ》とともに、人間と戦うか？　そこの小娘は人間を裏切るのか？　人間の裏切り者として、人間になぶり殺されるがいい、小娘。そんな様を見られるのならば、まだ生かしておいてやる。わたしに殺されるよりも、仲間である人間どもに、殺されるがいい」

片羽をわずかに震《ふる》わせ、ラファルは勝ち誇《ほこ》ったかのように傲然《ごうぜん》と顎《あご》をあげた。

「エリルの配下となり戦うか？　シャル。それとも、一人で立ち向かうか？　シャル。その小娘は、人間どもからいったい、なんと呼ばれるのかな？　人間を裏切った魔女《まじょ》かな？　楽しみだよ」

なぶる言葉が、まるで不吉《ふきつ》な予言のように聞こえて体がすくむ。不吉な予感に体が震えるが、同時に、ルルや銀砂糖妖精《ようせい》見習いたちが望んでいるものを愚弄《ぐろう》された気がして、腹の底から怒《いか》りがこみあげる。

「シャルは戦わない……。絶対に、戦わない……」

震えながら、アンはそれでも立ちあがり、遠い場所にいるラファルを睨《ね》めつけた。

ラファルが不愉快《ふゆかい》そうな目の色で、蔑《さげす》むように鼻で笑う。

「むざむざ殺されてやるのか？　人間どもに」

「違う。国王陛下との信頼《しんらい》を繋《つな》ぎとめる……。だから戦わない……」

かすれる声で言いながら、それが不可能かもしれないと絶望的な気持ちになる。だが言わずにはいられない。絶望的だと認めたら、永久に、未来が閉《と》ざされる気がした。

「兵を殺した。これは妖精王の一人である、わたしなりの宣戦布告だよ。妖精王の一人であるシャル・フェン・シャルが、この状況をどうやって信頼に繋げられる？　やれるものならば、やってみるがいい。さっき言っていたな？　誓約《せいやく》がなされる二つの条件。三人の妖精王の意思の統一と、最初の銀砂糖を人間の手に渡《わた》すこと、と。妖精王の意思の統一は、このとおり、なされていないと証明された。最初の銀砂糖は、エリルの手にある。どちらもおまえたちの手にはない。それをどうやって信頼に繋げる？」

絶望的だ。ラファルの言葉を聞くにつけ、そう思う。だがここまできて、アンは諦《あきら》めるわけにはいかないのだ。諦めてしまったら全《すべ》てが終わりだ。

だがそれ以上、アンは反論する言葉が見つからなかった。唇《くちびる》を噛《か》み、ドレスのスカートの布を握《にぎ》りしめ、震えた。

——どうすればいいっていうの？　わたしたちは、どうすれば。考えて、考えて。

アンは必死に、自分に問いかけた。頭の中はめまぐるしく動いていたが、熱を持った不確かな思考の断片《だんぺん》が、勢いよく飛び回るだけ。きちんとした答えの形になってくれない。

「まずは、貴様を滅《ほろ》ぼす……」

シャルの低い声に、ラファルは薄《うっす》ら笑う。

「今ここでわたしを殺してもいいのか？　兵を傷つけた妖精王はわたしで、そのわたしを殺したのだと、どうやっておまえは人間どもに証明する？　死んでしまえば、わたしの体は消えてなくなるのに」

「では、捕《と》らえればいい！　捕らえて人間王の前に引きずり出して、謝罪のために跪《ひざまず》かせる！　それから俺の手で殺す！」

声とともに、シャルはラファルに向かって駆《か》けた。しかしラファルは薄ら笑ったまま、大きく背後に跳躍《ちょうやく》して逃《に》げの一手だ。砂糖林檎の枝を蹴《け》り、再び跳躍しながら、周囲にいる妖精たちに命じた。

「怪我《けが》をした者は彼を足止めしろ！　他《ほか》の者は、わたしとともに来い。エリルを探す！」

矢傷を負った妖精が、シャルの両側から襲《おそ》いかかってきた。シャルは舌打ちし、左右に剣《けん》を薙《な》ぐようにして二人の妖精の膝《ひざ》に斬りつけた。痛みの衝撃《しょうげき》に妖精たちはもんどり打って倒《たお》れたが、その一人が、執念深《しゅうねん》くシャルの足首を摑《つか》む。

ラファルは木の枝を蹴り跳躍し、瞬《また》く間にその姿が木々の葉の向こうへ隠《かく》れる。

「離《はな》せ！」

しつこく、がむしゃらに足を摑む妖精たちを、シャルはようやく振《ふ》り払《はら》った。しかし彼が自由になったときには、ラファルたちの姿は見えなくなっていた。

シャルは怒りをみなぎらせ、自分の足を摑んでいた妖精の胸《むな》ぐらを摑むと、引きずり起こした。

「ラファルは何処《どこ》へ行った！　奴《やつ》が行きそうな場所の見当は!?　教えろ！」

「知らない」

「どこだ！」

「本当に知らない……」

妖精が嘘《うそ》をついているとは思えなかったし、矢傷を負い、さらにシャルに膝を斬られた彼の体から、淡《あわ》い光が奔流《ほんりゅう》のように激しく流れ出ている。

しかしシャルは容赦《ようしゃ》がなかった。さらに妖精の首を締《し》めあげ、恐《おそ》ろしい表情で、吠《ほ》えるように問う。

「言え！」

シャルの羽の色は、彼の握る刃《やいば》の色とそっくりな、恐ろしいほど研《と》ぎ澄《す》まされた銀色に輝いている。

「言え!!」

シャルは怒りで我を忘れているらしいが、そんな彼を目にするのは初めてで、その怒りの強さが恐ろしくもあった。だがその様をしばらく啞然《あぜん》と見つめていると、逆にアンのほうが冷静になってきた。

――このままじゃ、シャルは、怒りにまかせてあの人を殺してしまいそうだ。

それが怖《こわ》くなった。アンはシャルに駆け寄ると、彼の腕《うで》にすがりついた。

「やめて、シャル！　この人、本当になにも知らないのよ！　それに見て、怪我をしているの！　手当てしてあげなくちゃ。ラファルはエリルを追うって言ってるんだから、この人たちは知らないはずよ！　それにここがラファルの居場所だったのなら、ここ以外に行く場所なんて、見当つかなくて当然よ」

悔しげに奥歯を嚙みしめ、シャルは胸ぐらを摑んでいた妖精を突《つ》き放すようにして解放した。妖精は下草の上に乱暴に放《ほう》り出され、両肩《りょうかた》で大きく息をしている。妖精は怪我のためか、二人とも朦朧《もうろう》とした顔で、ほとんど動かない。

「これで……終わりか」

シャルは痛みを堪《こら》えるように俯《うつむ》き、呟《つぶや》いた。彼の絶望感が胸に迫《せま》って、痛い。

砂糖林檎《りんご》の林の中は、先刻の闘争《とうそう》が嘘のように静まりかえっていた。踏《ふ》み荒《あ》らされた下草から虫たちは逃げ散ったらしく、虫の音さえなく、蝶《ちょう》の一匹《ぴき》も飛んでいない。ときおり風が吹《ふ》いて、砂糖林檎の枝と葉が擦《こす》れ合い、ざらざら、からからと鳴るのみだ。

ゆっくりと高い位置へと移動する太陽の光が、赤い砂糖林檎の実をつやつやと照らし、木漏《こも》れ日はシャルの頰《ほお》の上に躍《おど》る。

ひどく静かだ。

シャルの立場ならば、自分の出自など知ったことかと言い放ち、妖精の未来や砂糖菓子《がし》など無関係に、気ままに生き続けることもできたのだ。しかし彼は出会ってしまった妖精たちの思いを受け止め、決断し、力を尽《つ》くそうとした。それなのに結局、全ての現実は、彼の望みとはかけ離れたものになっていくのだろうか。

――そんなの、嫌《いや》だ。

怒りにも似た、現実に抗《あらが》おうとする強い思いがわきたつ。

――諦めたくない！

咄嗟《とっさ》にアンは怒鳴《どな》った。

「終わりじゃない！」

だがシャルは首を振る。

「兵たちはすぐにでもルイストンへ使いをやり、コレットに兵の死を知らせる。そして妖精王は意思の統一ができなかったと人間王に知らされる。最初の銀砂糖も、もたらされていない。

結局、誓約はなされない。しかもラファルはあの様子だ。ラファルが妖精《ようせい》たちを従えて方々で事件を起こせば、人間王は妖精王の討伐《とうばつ》を命じる。妖精王の中には、当然俺も含《ふく》まれる」

慄然《りつぜん》とした。妖精王討伐の兵が動けば、今まで穏《おだ》やかに使役《しえき》されるだけだった妖精たちですら、方々で迫害《はくがい》されかねない。

砂糖菓子職人の間にも、妖精の職人に対する反発が再燃し、以前以上に厳しく排除《はいじょ》の動きがあるはずだ。そうなったときは、もう銀砂糖子爵《ししゃく》のヒューがいくら策を練ろうが、流れは止められない。

王国全体で、妖精をさらに厳しく管理し、使役し、支配しようとする動きが強まるのは目に見えている。

そして今度こそ、王国軍は妖精王を仕留めようと全力を尽くす。生ぬるい対応をして逃げられた教訓を生かし、徹底《てってい》的に追い詰《つ》める。

それはラファルやエリルのみならず、シャルすらも、追い詰められるということだ。彼も妖精王の一人であると、王国側は知ってしまっているのだから。

「いますぐラファルを追って止められれば……」

すがる思いで提案したが、アン自身もそれがあまり現実的ではないとわかっていた。

ラファルの行き先が知れない現状で彼を追っても、見つけられる可能性はかなり低い。

ラファルが騒動《そうどう》を起こしはじめれば、彼の足取りも摑めるし、予測もできるだろう。だが、それではもう遅《おそ》いのだ。ラファルが騒動を起こした知らせがルイストンに届けば、コレット公《こう》爵《しゃく》は得たりとばかりにエドモンド二世に進言をし、妖精王討伐を大々的におこなうはず。

シャルは顔をあげた。

「無駄《むだ》だ。今年、銀砂糖はこの世から消える。おまえは……別の生き方を見つけなくてはならない。だが、生き続けることはできる」

「でも、シャルは……？」

「おまえとともにいれば、おまえも巻きこまれる。一緒《いっしょ》にいることは、不可能だ。おまえは一人で、新しい生き方を見つければいい」

妖精たちが今までよりも、もっと厳しく管理され統制され使役され、シャルもアンの傍《かたわ》らからいなくなる。そして砂糖菓子が消えた世界で、アンはなにをすればいいのだろうか。抜け殻《ぬけがら》のように、ただ生きるのだろうか。

——砂糖菓子の力を、信じたいのに。

そっと、シャルの両手がアンの両頬を包む。

涙《なみだ》がじわりと滲《にじ》んできたが、彼のなにもかも見透《みす》かしていそうな黒い瞳《ひとみ》を見つめていると、哀《かな》しみと一緒に、怒《いか》りに似た感情がふつふつとわきあがる。彼が絶望していることが痛いほど伝わってくるから、その痛みが、どうしようもなくやるせなくて、そのやるせなさが腹立たしい。

「シャルは、嘘つき」

言うと、シャルはびっくりしたような顔をした。なにか言いかけようとする彼の言葉を遮《さえぎ》るようにして、アンは続けた。

「シャルは、言ったもの。『なにがあっても俺とともに来る気持ちが変わらずあり続けるなら、俺は二度とおまえを離さず、おまえのそばにいる。そのためにおまえが人間としての不利な覚《かく》悟《ご》をしなくてはならなくとも、俺が守ってやる。だからおまえも、俺とともに来い』って。そう言った。わたしの覚悟は、なんにも変わってないのに、シャルは一緒にいることは不可能だって、そう言うの？」

胸をつかれたように、シャルの表情が変わる。

「嘘つきにならないで。シャル。わたしはずっと一緒にいる。だから一緒にいるために、まだ諦《あきら》めたくないの」

言いながら、アンは心の中で祈《いの》っていた。

——砂糖菓子の力。今、ヒューたちが、職人たちが、みんなが祈って作り続けているもの。それに力が、ないはずない。まだ、わたしは信じる。砂糖菓子の力。

銀砂糖子爵が、工房《こうぼう》の一職人のように目を輝《かがや》かせ、作ると宣言した砂糖菓子はどんなものなのか。今までにない規模で作ると言っていたが、どうやって作るのか。

アンはまだ、それを知らない。だがその砂糖菓子に祈りをこめる。

「嘘つきにならないで」

繰《く》り返しシャルを責めた言葉は、祈りの言葉と同じだった。

──まだ終わりではないと、信じよう。砂糖菓子の力を信じるように。


アンがシャルを真っ正面から、真剣《しんけん》になじったのは初めてだった。

指摘《してき》されてようやくシャルは気がつく。

──俺は、嘘を?

この場所にアンを連れてくると決意したときに、シャルはアンに覚悟を求めた。そして、全《すべ》てを承知でやってきたはずだ。自分がアンに求めた覚悟を、彼女は揺《ゆ》るぎなく持ち続けている。

ひょろりとした手足の、まだ大人の女になりきっていない、幼さを引きずっている少女が、これほどの強さを秘《ひ》めていることが信じられなかった。

幼く、純粋《じゅんすい》で、ほんの短い時間しか生きられない人間だからこそ持ち得る、魂《たましい》の強さなのかもしれない。その魂が持つ熱を感じ、愛《いと》しさが強くこみあげる。こんな命を今、両手に抱《かか》えている自分が、本当に彼女を手放せるだろうか。

ふと、シャルは苦笑《くしょう》した。

──手放せるわけない。清廉《せいれん》で誠実な人間から奪《うば》い、ここまで連れてきた。恋《こい》を失いながらも「彼女を守って」と呟《つぶや》いた、キースの声を思い出す。怒りと絶望感で煮溶《にと》けていた思考と理性が、ゆっくりと戻《もど》ってくる。

──俺が、慈《いつく》しむべき者。

シャルは身をかがめて、アンの両頰《りょうほお》を両手で包んだまま、唇《くちびる》に口づけた。

「泣くな」

唇を離《はな》して、シャルは囁《ささや》く。アン自身は気がついていないようだったが、彼女の眦《まなじり》から数滴《すうてき》、涙がこぼれていた。シャルの唇は、こぼれた涙の跡《あと》をたどって拭《ぬぐ》う。

「俺は、守ると誓《ちか》った。忘れるところだった。おまえを泣かせたくない」

「じゃ……どうすればいいの？」

「そうだな……」

シャルは長いため息をつくと、アンの両頰を包んでいた手を離して、朦朧《もうろう》としている妖精たちと、ラファルが姿を消した方向に順繰《じゅんぐ》りに目をやる。

妖精たちの怪我《けが》を冷静になって見つめたシャルは、眉《まゆ》をひそめる。彼等の有様は、ひどいものだ。そんな彼等を殺しかねなかった自分は、どれだけ冷静さを欠いていたか。

「悪いことをした。あとで、筆頭に言って、こいつらを筆頭の世界で、療養《りょうよう》させてくれるように頼《たの》むか」

独りごちると、気を取り直したようにアンに向き直る。

「追わなくてはならないのは、エリルとラファルだ。だが彼等の行方《ゆくえ》を今から追ったとしても、後手後手に回る可能性が高い。しかもその間にコレットの兵たちは、報告をルイストンへもたらすだろう。その報告が人間王の耳に入れば終わりだ。まず、なんとかその報告を阻止《そし》する必要があるが……兵を追うか……。しかし、既《すで》に使者がルイストンへ向けて出発したと考えたほうがいいだろう。ルイストンからの遠征隊《えんせいたい》ならば、連絡《れんらく》用の鳥を連れている可能性も高い。あの戦いでラファルの名乗りを聞いたからには、彼等はなによりもまず報告を優先するはず。最速の方法で」

するとアンは、はっとしたように背後の池をふり返った。

「シャル！　コレット公爵の兵よりも先にルイストンに到着《とうちゃく》して、先回りして、事情を国王陛下に伝えられればいいのじゃない!?」

「先回り？　馬もない今の状態で、鳥を追い越《こ》すことも、先に出発した使者の先回りも……」

と言いかけて、シャルもまた気がついて水面《みなも》を見やる。

「筆頭か」

あの忌々《いまいま》しい妖精は、一瞬《いっしゅん》にしてシャルを遠くへ放《ほう》り出した。アンの瞳が明るく輝く。

「筆頭に願って、ルイストンの近くへ移動させてもらえれば、間に合う」

「先回りできたとしても、妖精王の意思が統一されていない現状と、最初の銀砂糖の行方が知

れないことを、報告するだけだ。そこへ追いうちをかけるように、コレットの兵が、妖精王に殺されたと知らせが来る。人間王がどこまで、俺を信頼《しんらい》するか」

「でも、やってみなくちゃわからない。思いがけない幸運が、運ばれてくるかもしれない！　だって今、成功を祈ってヒューたちが砂糖菓子《がし》を作っているんだもの！」

それが残された、唯一《ゆいいつ》の希望だった。絶望的な状況《じょうきょう》で、なんとかなるかもしれない、なにかの幸運がやってくるかもしれないと、念じながらあがくこと。それしか道はないのだ。

「まだ、諦めるのは早いか」

シャルはアンの手を摑《つか》んで引き寄せ、その体を軽々と抱えあげた。

「誰《だれ》よりも早く人間王と会うためには、ぐずぐずしていられない。行くぞ」

びっくりして目を丸くしているアンの顔を覗《のぞ》きこみ、シャルはアンの唇に軽く口づけする。

「シャル」

ようやく、恥《は》ずかしさを感じる余裕《よゆう》ができたのか、アンの耳が真っ赤になる。

「キスしすぎかも……」

「足りない、まだ」

答えると、もう一度軽く口づけし、シャルはアンを抱えて池に向かって跳躍《ちょうやく》した。

アンを抱えて池に飛びこむと、前のときと同様に、押し寄せてくる水の圧力に息苦しくなった。直後、体を包む感触《かんしょく》が柔《やわ》らかく変化し、それから体がくるりと上下ひっくり返るような奇《き》妙《みょう》な感覚がする。そしていきなり宙に放り出された。シャルはアンを抱《だ》いたまま、目を何度か瞬き、白いまばゆさに目を慣らしながら体勢を立て直して着地した。

筆頭の作り出す閉鎖《へいさ》された空間特有の、自らの耳が機能しているかどうかを疑ってしまうほどの静寂《せいじゃく》が、周囲を満たしている。

「おお。そなたら……無事か」

シャルとアンの姿を認め、銀砂糖妖精《ようせい》筆頭が近寄ってきた。シャルは抱えていたアンを降ろして背後に庇《かば》う。

「よくもやってくれたな、筆頭」

ここから別の場所に放り出されて、一日と半分。焦《あせ》りながら走らされた恨《うら》めしさに、シャルは赤い瞳の妖精を睨《にら》みつけた。

しかし筆頭は何のことを言っているのかと言わんばかりに訝《いぶか》しげな表情で首を傾《かし》げ、それから、ぽんと手を打つ。

「おお、なんじゃ。そなたを放り出したことを怒《おこ》っておるのか。じゃが、地の果てに飛ばしたわけでもなし、こうやってここに戻ることも許しておるし。しかもそこの娘《むすめ》に、最初の銀砂糖は渡《わた》したのじゃ。そなたの望みは叶《かな》ったのであろう、妖精王よ」

「おまえが俺を遠ざけなければ、最初の銀砂糖をエリルに奪われずにすんだかもしれない」

「取り返せなかったのかの？」

「エリルが持ち去った。それどころかラファルが人間の兵を傷つけ、俺が人間王と約束したことは、全て無に帰そうとしている」

「なるほどの。しかし、二人ながらに命があるのは上出来ではないかの?」

「貴様は……」

とぼけたこの妖精の首を締《し》めあげたくなるが、二人の様子を見て慌《あわ》てたらしいアンが、シャルの後ろから顔を出す。

「せっかく最初の銀砂糖を受け取ったのに、取り返せなかったのはわたしの責任です。でも、なんとかして責任を取りたいんです。お願いです。わたしたちを、ルイストンの一番近くまで送ってもらえませんか? あなたの力を使って。お願いします。時間がなくて。すがれるのが、あなたしかいないんです」

そして深く頭をさげた。

「お願いします。わたしたちの事情なんて、筆頭が気にかけるようなことではないと、わかっています。けれどお願いします」

三千年生きた妖精に対して、アンはただ頭をさげた。脅《おど》すことも、策を弄《ろう》することもなく、説得しようとすらしていないように思える。ただ必要なのだと、懇願《こんがん》するだけだ。

それはあまりにも単純な『お願い』で、百年以上の時を生きてきたシャルには、愚《おろ》かにすら思えた。

だが筆頭の赤い瞳《ひとみ》は、頭をさげたアンをじっと見つめている。ふざけた様子もなく、はぐらかす様子もなく、彼女の心の中を見透《みす》かそうとするかのような瞳だ。

──そうか。

アンが筆頭から、最初の銀砂糖を手に入れられた理由が、わかった気がした。

アンは策を弄するほどに器用でもなく、脅しをかけるほど強くもない。彼女ができるのはただ、自分の思いを率直《そっちょく》に相手に伝えることだけなのだ。

三千年も生きれば、どれほどの知恵者《ちえ》が壮大《そうだい》な策を巡《めぐ》らそうと、そんなものはとっくに経験済みでも当然だ。どんな種類の脅しも、知っていて不思議はない。三千年の知識と経験がある者は、神のように全《すべ》てを達観していてもおかしくない。

神の前では策を弄することも、脅しをかけることも、逆に愚かだ。

では神の前で、人間は何をするべきか。ただ真摯《しんし》に、正直に、祈《いの》るのみだ。だがそれは正しい方法で、それしか結局、方法がないのだ。

砂糖菓子を作りながら幸福を祈るときのように、アンはただ純粋《じゅんすい》に願う。

百年生きていても知らなかったことを、シャルは十七歳の人間の少女に教えられているような気がした。自分の手に最初の銀砂糖が渡らなかった理由は、ここにあるのかもしれない。

「銀砂糖妖精筆頭」

シャルはその場に片膝《かたひざ》をついて、頭《こうべ》を垂れた。

「おまえに願う。俺たちを、望む場所へ運んで欲しい。二人とも己《おのれ》の存在の意味をかけて、立ち向かうものがある」

シャルが膝をつくと、アンもその隣《となり》に同じく膝をついて頭をさげた。

「お願いします」

「なんと……」

筆頭が、息を呑《の》む気配が伝わってきた。

「妖精王が膝を折るか？」

それきり、筆頭は一言も発しない。動く気配もない。

静寂が押し寄せ、焦りと不安で、ひどく長い時間そうして膝をついていたような気がした。息苦しくなり、微《かす》かにあえぎながらも、シャルはその姿勢のまま耐《た》えていた。

――策はない。願うしか。

息苦しさにもう一度大きく息を吸ったとき、目の前にふわりと甘い香《かお》りがした。それに促《うなが》されるように顔をあげると、銀砂糖妖精筆頭が、シャルと同じ目の位置にしゃがみこんでいた。

今まで気がつかなかったが、筆頭の肌《はだ》や髪《かみ》、全身からは、砂糖林檎《りんご》の香りがする。

「立つがよいじゃろう、妖精王。そして、アン」

「願い続ける限り、立つことはできない」

シャルの答えに、筆頭はくすくすっと、子供の我が儘《まま》をいなす親のように笑って、立ちあがる。

「どこへなりとも、望む場所に放《ほう》り出してくれるわ。そんなところで二人して座りこまれていては、鬱陶《うっとう》しくてかなわぬて。立つが良い。目障《めざわ》りなのじゃ。さっさと放り出してくれる」

「やってくれるのか？」

立ちあがりながら確認《かくにん》すると、筆頭は顔を歪《ゆが》めた。

「久々の来客は、騒《さわ》がしくてうんざりじゃ。さあ、そなたも立て。アン」

促されてようやく立ちあがったアンは、今一度頭をさげた。

「ありがとうございます。筆頭。渡してもらった最初の銀砂糖、きっと取り戻《もど》して……。わたしが最善の方法で使います」

「取り戻せる算段はあるのかの？」

問われて、アンは言葉に詰《つ》まったらしく、唇《くちびる》を嚙《か》んで俯《うつむ》く。逃《に》げ去ったエリルを追えるほど、アンに力があるわけはない。けれど彼女は必死になって、考えられる限り、できる限りの方法で最初の銀砂糖を取り戻そうと決意しているのだろう。

だがそれはどだい無理なのだ。

それができるのはおそらく、エリルと同等の力を持ち、彼等の行動もある程度理解できる存在しかない。すなわち、シャルだろう。

「俺が最初の銀砂糖を追う。なにをしてでも取り戻す」

告げると、筆頭はふむと頷《うなず》く。

「よかろう。銀砂糖は、砂糖菓子《がし》を作りあげる源。銀砂糖にも銀砂糖なりに、力はある。銀砂糖は必要なところへ、自然と運ばれていくものじゃ」

「どこだ?」

「それは銀砂糖に聞くしかないのぉ」

はぐらかすように言うと、筆頭は肩《かた》をすくめる。

「さて、二人。時間がないのであろう? ルイストンの一番近くへ放り出してくれと願ったの? 二人、離《はな》れぬように手を繋《つな》げ。放り出すぞ」

「あ、待ってください! 大切なものを、忘れてて」

焦ったように言うと、アンは、少し離れた場所にあった砂糖菓子を作る作業台に駆《か》け寄って、その上に置かれた、草で編んだ指輪を手に取った。それはシャルが、彼女を永久に慈《いつく》しむ証《あかし》にと、アンのために作って、指にはめてやった指輪だ。

筆頭はそれを見ると、つと目を細める。

「それは、なんじゃ?」

「これはシャルがわたしに、くれた物なんです。証にって」

「ほほぉ、なんの証じゃ? さしずめ、そなたのことを、己のものだと主張したい、独占欲《どくせんよく》の証か」

うるさいと怒鳴《どな》りたかったが、耐えた。ここで筆頭の機嫌《きげん》を損《そこ》ねてはまずいと思ったからだったが、もし、なにもかも事が無事に済んだあかつきには、ここに戻ってきて、一発後ろ頭でも張り飛ばしてやりたいと思う。

怒《いか》りと屈辱《くつじょく》に表情を険しくしたシャルとは違《ちが》い、アンは恥《は》ずかしそうな、しかし少しばかり嬉《うれ》しそうな表情で頬《ほお》を染めて、もじもじと俯く。

「まあ、良いわ。アン。その指輪は、ここに置いてゆくが良い」

筆頭の言葉に、アンは驚《おどろ》いたように顔をあげた。

「え、でもこれは、シャルがくれた証で」

「証だからこそ。そなたはこれから、己が向かう場所で何が起こるか、覚悟《かくご》しておるのであろう？　その場所でその脆《もろ》い指輪を、壊《こわ》さずにおられるか？」

問われると、アンは庇《かば》うように、掌《てのひら》に載《の》る指輪を胸元《むなもと》に引き寄せた。

「しかもそれは植物で作られておる。外へ持ち出せば、二日と経《た》たぬうちに枯《か》れてしまう。ここに置いておけ、さすれば壊れることも、枯れることもない」

「でも、これは大切な証で」

「証ならば、全《すべ》てのことが終わったときに、ここに取りに戻るが良い。もしくは我が、届けてやろう。そなたら二人が、そのときも、気持ちが変わらず、二人一緒《いっしょ》にいられればの話じゃがの」

最後の台詞《せりふ》には、ちくりとした嫉妬《しっと》心と嫌味《いやみ》があったが、筆頭が、二人の先行きになんらかの幸運を願ってくれているからこそ、指輪を置いていけと言ったのだと、なんとなく理解できる。

「ここへ置いていけばいい。アン、来い」

呼ぶと、アンはすこし躊躇《ためら》うそぶりをしたが、強く頷いてやると納得《なっとく》したらしく、指輪を作業台の上に戻してシャルのもとに駆け戻ってきた。シャルはアンの腰《こし》を抱《だ》き寄せた。

筆頭はちょっと嫌な顔《かお》をして、唇を尖《とが》らせた。

「見せつけられているようで、嫌な気分じゃ」

「それなら池のほとりでも散歩して、誰《だれ》かを見繕《みつくろ》え。今、二人ほどいるぞ。その二人をここへ連れてきてやればいい」

「ほぉ？　どのような者じゃ？」

「妖精《ようせい》二人だ。そこそこ可愛《かわい》い……かもしれない。怪我《けが》をしているから、砂糖菓子でも食べさせてやれば感謝される」

「ふむ」

筆頭はすこし嬉しそうな顔をして、右手をあげた。アンははっとしたように、声をあげた。

「ありがとうございました！　受け取ったもの、無駄《むだ》にしないように、必ず！」

「よいよい。ただの巡《めぐ》り合わせじゃ」

答えた彼はひょうひょうとし、近所へ遊びに行く子供を見送る老爺《ろうや》のようだ。人間も妖精も、地上を歩く者が必死に右往左往しているのに比べると、最初の砂糖林檎の木という大いなるものを守護する彼の、なんと淡々《たんたん》としていることか。

――神とは、元来そんなものかもしれない。

そんなことを、シャルは一瞬《いっしゅん》思った。

筆頭の手が横薙《よこな》ぎに宙を撫《な》でると、視界がさっと白い光に包まれた。いきなり大きな手で突《つ》き飛ばされたような衝撃《しょうげき》が来た。

これから体を乱暴に振《ふ》り回《まわ》されるような衝撃が来るのは知っていたので、シャルはぎゅっと目を閉じたアンを離さないよう、しっかりと抱きしめた。

予想通りの衝撃が続いて襲《おそ》ってきた。そしてその後、どこかへぽんと放り出され、体が軽くなり、足元がふわりと頼《たよ》りなく浮《う》き上がる。

「ここ、どこ？」

恐《おそ》る恐る、アンが目を開く。シャルはアンを抱《かか》えたまま、上も下もない、ただ白い光が満ちるだけの不可思議な空間の中に浮いていた。白い空間には所々に、遠いのか近いのかわからない曖昧《あいまい》な場所に、ぼんやりとした輝《かがや》きがいくつも灯《とも》っている。

「砂糖林檎の木の、気脈だそうだ。この中を通って移動できるらしい」

「でも出口は？　シャルは前のとき、どうやって出口を見つけたの？」

「教えられた。ここに残っている、ここを通り過ぎていった者の思いとやらにな」

「思い？」

おうむ返しに問い返してきたアンの言葉が、途切《とぎ》れた。そして息を呑《の》むと、震《ふる》え声で、呟《つぶや》いた。

「……ママ？」

アンの視線の先を追うと、そこに茶色の髪をした少女がいた。

アンと同じくらいの年格好で、明朗な雰囲気《ふんいき》がアンに似ている。その少女は二人に気がついていないらしく、自分の後ろばかりを気にしていた。そこになにか、大切なものを置いてきてしまったかのような、切なげな目をしていた。そして小さくて頼りない、砂糖菓子作りの道具を一つ、握《にぎ》りしめている。

――ママだと？

そこに出現した少女が、アンの母親なのだろうか。しかしなぜアンの母親の姿が、この場所に刻まれているのか。

先刻アンは、彼女の母親が筆頭のもとにいたのだと語っていた。彼女の母親エマは、なんらかの理由で筆頭のもとにいて、そしてここを通って、どこかへ行ったということか。

なぜエマが筆頭のもとにいたかはわからないが、多少納得はできる。男社会の砂糖菓子職人の世界で、銀砂糖師になれるほどの技術を身につけられたのは、あの場所にいたからなのだろう。

それにしても、まるでたぐり寄せられたかのように不可思議な運命だ。エマの娘《むすめ》のアンが、それと知らず、こうやって同じ場所に引き寄せられたのだ。

神の存在などシャルは信用していないが、なにか大いなるものの力は感じる。それはもしかすると砂糖林檎《りんご》という、自然の中に生まれ、特殊《とくしゅ》な育ち方をした一つの植物が発する、目に見えない力なのかもしれない。だから砂糖林檎に真摯《しんし》に仕えようとする職人を、引き寄せるのか。あるいは彼等の運命の輪を回すのか。

「なぜ、おまえの母親は筆頭のもとに？」

質問したが、答えはなかった。アンは食い入るように少女の姿を見つめ、他《ほか》のことは一切《いっさい》目に入っていないし、聞こえていないようだった。

「ママ？」

もう一度アンが、今度はすこし大きく呼ぶと、彼女はやっとこちらを見た。そしてアンと目が合うと目を見開き、瞳《ひとみ》をくりくりさせて、それからあふれるような笑顔《えがお》になった。

「ああ、楽しみだわ」

彼女はアンを見つめながら、言った。

「この先に、あなたがいるのね」

「ママ？」

「ママなんて、ぴんとこないなぁ。でも不思議。なんとなく、嬉しいわね」

くすっと笑うと、彼女はひょいと軽《かろ》やかに跳躍《ちょうやく》して姿が消えた。

「ママ!?」

アンがシャルの腕《うで》の中から、すがるように両手を伸《の》ばした。アンがいきなり暴れたので、危《あや》うく彼女の体を離《はな》しそうになり、シャルは慌《あわ》てて制止しようと、

「馬鹿《ばか》……!」

と言いかけた。そのとき、自分の真正面に、自分の顔が現れた。まるで突然《とつぜん》目の前に鏡を突きつけられたかのようだったが、それは確かに実体を持つ、自分だ。驚きに声が出ず、呆然《ぼうぜん》とした。

アンも、もう一人のシャルに気がつき、目をまん丸にする。

「シャル?」

するともう一人のシャルは、本物のシャルなどまるで目に入っていないかのようにアンの顔の位置にかがみこみ、彼女の両頰《りょうほお》を包むように手を添《そ》え、甘く囁《ささや》く。

「ここにいたのか。俺から、離れるな」

「え? シャル?」

アンは目線で、二人のシャルを見比べる。

――しまった!

心底、恥《は》ずかしくなった。

前回ここを通ったとき、シャルはアンのことばかり考えていたと、リゼルバ・シリル・サッシュに指摘《してき》された。それがまさか、こんな形になって残っているとは、ばつが悪いことこの上なかった。

「愛《いと》しい」

囁くもう一人のシャルを、シャルは思い切り突き飛ばしてアンから引き離した。相手が自分自身であっても、馴《な》れ馴れしくアンに触《ふ》れることが我慢《がまん》ならない。

「離れろ！　出口はどこだ!?」

半ば怒《おこ》りながら問うと、もう一人のシャルは、ぼんやりと輝く光の一点を指さした。そして告げる。

「望みの場所は、あそこだ。二人離れずに行け」

「それさえわかれば、いい。言われなくとも離れない。とにかく黙《だま》れ」

「ねぇ、シャル!?　あのシャルは!?」

シャルはアンを抱え直し、光の方向へ向かって行きながら、できるだけアンの体を強く抱《だ》き込んだ。もう一人のシャルの声を聞かないで欲しかったが、効果は薄《うす》そうだった。しかも黙れと命じたのに、もう一人のシャルは囁き続けていた。

「アン。アン」

背後から聞こえるもう一人のシャルの声に、アンは目を白黒させていた。

シャルは生まれて初めて、赤面した。常日頃《ひごろ》、アンに向かって言っている言葉も、声も、一歩離れて客観的に眺《なが》めると、信じられない程に恥ずかしい。

「シャル？　今のは？」

「なんでもない。とにかく、急ぐ」

恥ずかしさを悟《さと》られないように厳しい声で答える。

――ルイストンへ。

シャルは光へ向かって駆《か》けた。

――コレットの兵よりも早く。ラファルがこれから引き起こすかもしれない問題が、人間王の耳に入るよりも、早く。誰《だれ》より、なによりも、早く王都へ。

エリルが持ち去った最初の銀砂糖も、追わなくてはならなかった。だが、まずは人間王との絆《きずな》を繋《つな》ぐために急ぐべきだった。

三章　願う者　彷徨《さまよ》う者　荒《あ》れ狂《くる》う者

王都ルイストンは夕暮れの光に照らされていた。南から北へ一直線に続く凱旋《がいせん》通りは、南の広場の手前から王城の正面まで、白い布の隧道《すいどう》となって、オレンジ色の斜光《しやこう》を明るく跳《は》ね返している。

その隧道の下は、深まる秋の冷気を感じさせない、ほどよい温度を保っていた。隧道に籠《こ》もる職人たちの熱気を、ときおり吹《ふ》き抜《ぬ》けていく風が散らす。

砂糖菓子《がし》職人たちは、街路の中央に作業台を並べ、そこで銀砂糖を練っていた。街路の左右の端《はし》に沿うようにして、膝《ひざ》の高さ程度の、木製の台が並んでいる。幅《はば》は大人が両手を広げたほどしかないが、長さは、街路に沿って延々と続いている。

街路の端の左右に、幅の狭《せま》い舞台《ぶたい》が途切《とぎ》れることなく設置されているのだ。

職人たちは、街路中央の作業台で基本的な作業を済ませると、その細長い舞台の上に砂糖菓子を作り始める。

「水がぬるいぞ！　どうした、水！」

職人の怒鳴《どな》り声があがると、近くで、冷水の樽《たる》を汗《あせ》だくになって二人がかりで運んでいた見習いたちが「はいっ！」と答えた。彼等はさらに歯を食いしばって、職人たちのところへ少しでも早く冷水を届けようと、歩む速度を上げる。

見習いたちは、砂糖菓子の舞台と作業台で幅を取られ、狭くなった街路を右往左往し、銀砂糖の樽や冷水の樽を、せっせと運んでいる。水がぬるいと怒鳴られれば、駆けつけて樽を運び出し、すぐさま別の冷水を運んでくる。銀砂糖が足りない、色粉がなくなったと叱責《しっせき》されれば走る。ちょこまかと動きまわる彼等は、巣の中で忙《いそが》しく働く働き蟻《あり》のようにせわしない。

作業台に向かっている職人は、半分が妖精《ようせい》だった。

妖精たちは銀砂糖を練る作業、糸に紡《つむ》ぐ作業とそれを織る作業と、基本的な工程ばかりを担当していた。しかしそれが、人間に比べれば格段に速い。彼等の手の動きは滑《なめ》らかで、よどみない。そして黙々《もくもく》と、作業をこなす。

最初は意地になって練っていた人間の職人も、ぐんぐんと日が傾《かたむ》くことに焦《あせ》り、最後には銀砂糖の色を作る指示だけをして、基本的な作業を妖精たちに任せていた。自分たちは砂糖菓子を形にする、成形の作業に集中していた。

「仕事を取られた気分だな」

砂糖菓子の舞台に向かって、練り上がった銀砂糖で土台を作っていた職人が一人、背後で作業する妖精たちの背中をちらっと見て、ぼそりと言った。

すると隣《となり》で作業していた柔《やわ》らかな金髪《きんぱつ》をした職人も、「まあね」と、おもしろくなさそうに

答えた。彼は顔をあげて腰《こし》を伸ばすと、妖精たちの背中を見やる。そして、

「けど、しかたないじゃないか。時間がないんだ。彼らに任せておかないと、砂糖菓子は形にはならない」

と、続けて言いながら額の汗を拭《ぬぐ》った。すると作業台の下に控《ひか》えていた小さな妖精が、タオルを手にして彼の肩《かた》に飛び移る。

「ジョナス様。汗を拭《ふ》いてください。お水、飲みますか？」

そうやって甲斐甲斐《かいがい》しく世話を焼くのは、燃えるような赤毛の妖精キャシーだった。

ラドクリフ工房《こうぼう》派本工房で修業《しゅぎょう》する職人、ジョナス・アンダーは「水はいらない」とぞんざいに答えながらキャシーからタオルを受け取り、隣で作業する同僚《どうりょう》に言う。

「背に腹は代えられないじゃないか。僕は、実家も砂糖菓子屋なんだ。銀砂糖がなくなれば、家族全員が路頭に迷うよ」

「……そうだな」

ジョナスの呟《つぶや》きを聞いた職人は、ため息混じりに答えた。

時間がない。そして作業量は膨大《ぼうだい》。あと六日で作品を完成させろと、銀砂糖子爵《ししゃく》は命令していたし、期限の意味も説明していた。

もうすこしで砂糖林檎《りんご》の実は熟《う》れきり、落ちてしまう。ぎりぎり、あと七日以内に最初の銀砂糖が人間の手に入らなければ、今年の銀砂糖は精製できないだろうと。

それまでに砂糖菓子を形にして、職人たちの未来に幸運を呼びこめというのだ。

銀砂糖子爵は「奮起しろ」とも「力を尽《つ》くせ」とも言わなかった。ただ職人たちに、自分のために祈《いの》れと命じた。

今年一年、銀砂糖が精製できなければ、職人たちは一年間食いっぱぐれる。それだけならばまだいいが、そもそも最初の銀砂糖がもたらされなければ、永久に砂糖菓子は地上から消える。

その現実をつきつけられ、職人たちはもはや、祈ることしかできないのだ。

自分たちの力の限りを使って、幸福を招くようにと、砂糖菓子を作るしかない。

何度試《ため》しても、銀砂糖がまともに精製できない恐怖《きょうふ》を、職人たちはこの秋、ずっと味わっていた。そして知らされた事実は、それに追いうちをかけた。

恐怖と不安は、必死さに繋がっていた。

妖精たちが仕事に加わる違和感《いわかん》や反発も、職人の中にはある。だが、反発を感じながらも、それをとやかく言っている暇《ひま》はない。

今この仕事は、職人たちが自分たちのためにやっている仕事なのだ。

太陽が傾き、白い隧道内も手元が薄暗《うすぐら》くなってきた。

見習いたちが、火を灯《とも》したランプを手に駆け回り、それを職人たちの近くへ置いていく。

頭上から聖ルイストンベル教会の、夕暮れの鐘《かね》が鳴り響《ひび》く。職人たちが、昼組と夜組とで、交代する時間だった。作業は昼夜関係なく続けられる。

時間がないというのも理由だ。だが、こうやって街中で作業をするからには、四六時中、常に職人が目を光らせていないと、作品になにが起こるかわからないからだ。

ジョナスの隣で作業していた職人が顔をあげ、ふと、王城の方向へ続く、白い隧道となった街路へ目をやる。

「ノックスたちが、王城前の広場に行ってるんだったよな？　あそこは、順調に進んでいるのかよ。あんなもの作れと言われて。俺なら、ちょっと嫌《いや》だな。作った後で、罪に問われそうだ」

王国全土から職人と銀砂糖を集めた銀砂糖子爵は、一つの砂糖菓子を作れと指示を出した。

銀砂糖子爵は、素案とも言える、彼自身が描《か》いたらしい膨大な量のスケッチを持っていた。そしてそれを各派閥《はばつ》のとりまとめ役に見せ、それぞれのやり方で、それぞれの担当する箇所《かしょ》を作れと指示していた。

一つの砂糖菓子を作る。銀砂糖子爵はそう指示していたが、実際、その大規模さから、一つと表現してよいものかどうか、職人たちは戸惑《とまど》った。

だが俯瞰《ふかん》で眺《なが》めれば、この作業を「一つ」と表現した銀砂糖子爵の意図も理解できる。

凱旋通りのほとんど全体と、南の広場と、王城前広場。そこに砂糖菓子の作品を出現させる計画だ。

その中で要《かなめ》となる最も華《はな》やかな場所は、当然、王城前広場だ。そこには、銀砂糖子爵自らが、各派閥から名指しで選んだ職人たちが集められている。彼等がそこを担当するのだ。

だが王城前広場に作る予定の造形を知って、二の足《あし》を踏《ふ》まない職人はいないだろう。そもそもハイランド王国の国民であるならば、絶対にためらうような造形だ。

ジョナスは、キャシーにタオルを返しながら訊《き》く。

「おまえ、知ってるか？　キャシー。あっちの様子は」

「ええ。なんだか職人同士の話しあいがまとまらなくて、作業に手をつけていない状態です」

それを聞くと、職人は眉《まゆ》をひそめる。

「間に合うのか？　っていうか、本当に作るのかよ」

「さあ……」

ジョナスも不安げに、同僚が見ている方向へ視線を向けた。

聖ルイストンベル教会の夕暮れの鐘の音を、銀砂糖子爵《ししやく》ヒュー・マーキュリーは銀砂糖子爵別邸《べってい》内で聞いた。

執務《しつむ》机に腰掛《こしか》けていたが、鐘の音にふと窓の外に目を向ける。すると目の前にいたキャットが、むっとしたような顔をした。

「てめぇ、俺がわざわざてめぇの要求どおりの報告をしてやってるってのに、よそ見かよ」

「ああ、悪いな」

機嫌《きげん》が悪いキャットをこれ以上刺激《しげき》しないように、ヒューはとりあえず謝った。

なにしろ彼がへそを曲げて、仕事を放棄《ほうき》しては困る。あとたった六日間だ。その期間だけならば、キャットの機嫌を取ってやってもいい。

キャットには今、作品全体の進捗状況《しんちよくじようきよう》を一日二回、報告するように命じてある。大規模な作業なので、全体の状況を細かく把握《はあく》しておく必要があるのだ。派閥を束ねる役目があるエリオットやキレーン、マーカスには頼《たの》めないし、かといって的確に仕事の進捗を把握できるだけの知識と経験がなくても困る。結局、知識と経験があり、派閥に所属していないキャットしか適任者がいない。

「で？　なんだって」

「いま言ったとおりだ。だいたい問題なく進んでる。だが王城前がよくねぇ」

「よくないとは？」

「作業が始まってこの二日間、ほとんど手がつけられてねぇ」

ヒューは眉をひそめる。

「なぜだ」

するとキャットは苛々《いらいら》したように、机の上に並べられていた紙の中から一枚を摑《つか》み取り、それを叩《たた》きつけるようにヒューの前に置いた。

「てめぇが作れって指示したものを、よく見やがれボケなす野郎《やろう》が!!」

それはヒューが何枚にも渡《わた》って描いた、今回の砂糖菓子《がし》のスケッチだった。それをもとにして各派閥の長《おさ》は職人たちに指示を出し、職人たちもまた、そこから汲《く》み取ったものをそれぞれのやり方で形にしていく。そういうふうに、作業の流れを作っていた。

キャットが叩きつけたのは、作品全体の要となる、王城前の造形だった。

「こんなものを作れと言われて、怖《こわ》がらねぇ職人がいるかよ!? 下手《へた》すりゃ不敬の罪に問われるじゃねぇか! 鞭打《むちう》ちにされかねねぇ」

「俺が一切《いっさい》の責任を負うと言っても無理か?」

「それでも萎縮《いしゅく》しちまう。だから職人たちは、ああだこうだと仕事の進め方で揉《も》めて、無意識にためらってる。あんな状態じゃ作ったとしても怯《おび》えが強すぎて、見られたもんじゃねぇ出来になる」

「なるほどな」

それは予想していなかったわけではない。だから王城前の作業にあたらせる職人は、ヒューが各派閥から直々に選び出した。腕《うで》はあるが、権威《けんい》あるものに対して無頓着《むとんちゃく》感がただよう職人たちを選んだのだ。だが、その彼等をしても、ためらいがあるということか。

「しかたないか」

ヒューは苦笑《くしょう》した。すると、いつもきょとんとした目をしてヒューを見つめてくる、アンの顔が脳裏《のうり》をよぎる。

「職人が軒並《のきな》み、アンみたいに馬鹿《ばか》じゃないってことだ」

その呟きに、キャットが渋面《じゅうめん》を作る。

「てめぇは、あのチンチクリンがいたら、あれをやらせる気かよ」

「あいつなら必要と思えば、恐《おそ》れずにやるだろうからな」

必要性を感じればアンならば作るはずだと、ヒューは過去の経験から知っていた。なにしろ彼女はかつて一人の妖精《ようせい》のために、王家が禁忌《きんき》とした紋章《もんしょう》すら躊躇《ちゅうちょ》なく形にした。いつの間にかアンを基準にしていたが、彼女はどちらかといえば規格外なのだ。

そうであるならば、方法は一つしかない。

「では、俺が作るか」

「はっ？」

ヒューの言葉を冗談《じょうだん》だと思ったのか、キャットは鼻で笑う。

「この仕事は国王陛下の命令だが、国王陛下のための砂糖菓子じゃねぇだろう。国王陛下のため以外に砂糖菓子を作ったら、銀砂糖子爵《ししゃく》様は罪に問われるんじゃねぇのか？」

「微妙《びみょう》だな。陛下が命令を出した経緯《けいい》を考えれば、陛下の機嫌さえ良ければお咎《とが》めなしだ」

「だが、てめぇが作らせようとしてるものは、下手すりゃ不敬の罪に問われる。ただの職人なら最悪鞭打ちを受けて終わりだろうが、国王陛下の職人である銀砂糖子爵が作ったとなりゃ、立場上どんな罰《ばつ》を喰《く》らうかわからねぇだろうが」

「それを指示して職人に作らせたのは、俺だ。同じだろう」

「指示して作らせたのと、本人が作ったのじゃ、わけが違《ちが》うじゃねぇか。指示して作らせたのなら、『指示が伝わらなかった』『監督不行き届き』で逃《に》げられる。職人たちも『指示を勘違《かんちが》いした』と言い張りゃ、双方《そうほう》がただの過失でおさまる。だが自分が作ったとなりゃ、逃げ道はねぇ。てめぇはそれを計算に入れて、監督役に徹《てっ》してるんだろうが」

相変わらず、砂糖菓子のことに関してだけは頭が回るキャットに感心しつつ、頷《うなず》く。

「計算には入れていた。今回の砂糖菓子は、職人たちが力を尽《つ》くすべきで俺の出る幕じゃないとも思ったし、俺は作ることにかかり切りになるより、作品全体のバランスを取れるように指示を出すべきだ。だが誰《だれ》も作れないというなら、俺が作るしかないだろう。砂糖菓子を作品として完成させるために、王城前広場の造形は必要な形だ」

その言葉を聞くと、キャットはちょっと驚《おどろ》いたように目を見開いたが、すぐにきっとヒューを睨《にら》みつける。そして、

「またてめぇは、承知の上で危なっかしいことしやがるのか」

「また？　俺がいつ、そんな危なっかしい真似《まね》をした」

「ノーザンブローで、ダウニング伯爵《はくしゃく》に盾突《たてつ》いたのはどこのどいつだ!?」

かっとしたように、キャットは身を乗り出して机越《ご》しにヒューの襟《えり》に摑みかかった。

「悪い、悪い。忘れてた」

両手を挙げておどけてみせたが、キャットは襟にかけた手の力を緩《ゆる》めないどころか、さらに力をこめるので、さすがにヒューも顔をしかめた。

「キャット。落ち着け」

キャットがなぜこれほど腹を立てているのか、ヒューにはいまひとつ飲み込めていなかった。

キャットはさらに猫目《ねこめ》をつり上げる。

「てめぇはいつもそうだ。勝手に考えて、勝手に決めちまう。いつまでたっても、俺をガキ扱《あつか》いしてんじゃねぇ。俺はもう見習いでもねぇし、てめぇが職人頭をしている作業場にいる職人でもねぇ。てめぇと対等の職人だ、わかってんのかよ」

呻《うめ》くような言葉に、ヒューは目を見開く。

――ガキ扱い？

正直、これだけ立派に成長しきった成人男子を可愛《かわい》らしい子供として扱う気は毛頭ない。だが改めて言われてみれば、自分はキャットのことを、どう思っているのか。

キャットが見習いのときから、ヒューは兄弟子《でし》として、職人頭として、彼のことは自分が守るべき配下の職人としてみていた。それは彼が独立してからも気分として残っていて、彼がどこでなにをしていようとも、結局自分が守るべき職人で、だからこそ便利に扱える弟子とし か思っていなかったのかもしれない。

「てめぇは、あのチンチクリンを対等に認めてやがる。そうでなきゃ、不敬の罪に問われるかもしれねぇ仕事を、任せようなんぞと口が裂《さ》けても言わねぇだろうが。そうだろう」

「それは、そうだろうな」

キャットの指摘《してき》を、ヒューはすんなり認めた。

アンは腕の良い職人だ。だがそれ以上に、妖精王である存在とともに生きようとするがゆえにだろうか、強い信念がある。まだ年若い少女であっても、その覚悟《かくご》は立派な職人として認めてやるに値《あたい》する。

だから必要な仕事であれば、ヒューは多少の危険を承知でも、アンに命じるだろう。そして彼女自身もまた、危険を納得《なっとく》して挑《いど》むはずだ。その確証が持てるということは、ヒューは彼女を自分と同等の職人として認めているということ。

するとキャットが、悔《くや》しげに呟《つぶや》く。

「俺は、あのチンチクリン以下か？　なんで俺はガキ扱いしやがるんだ。なんで俺に、作れと命令しねぇ？」

「……そうか。……なるほどな。確かにおまえは対象外にしていたな」

危険を承知の仕事を命じられるほど、ヒューはキャットを、同等の職人として扱っていないのだ。指摘されてはじめて気がついた。結局ヒューはまだ、キャットのことを、便利に扱える弟弟子で、だからこそ守るべき弟弟子と思ってしまっている。

だからキャットに、王城前広場の仕事を任せるという発想に至らなかったらしい。無意識に、銀砂糖師でさえないステラ・ノックスよりも、ある意味キャットを半人前扱いしていたかもしれない。

だが正直にそう言えば、彼はさらに怒《おこ》るだろう。

「だが、おまえは作りたいものしか作らない。俺が作れと命じたところで、自分が納得しなければ絶対に作らない。おまえを説得する時間が惜《お》しい」

別の理由を口にすると、キャットは顔中口にして喚《わめ》いた。

「なんで俺が、あれを作りたくねぇと思うんだ!?」

意外な嚙《か》みつき方をされたので、ヒューは目を瞬《しばたた》く。

「作りたいのか?」

「悪りぃのか!?」

砂糖菓子《がし》作りに関しては常に、自分のやりたいようにしかやらない彼が、共同作業で作り上げる作品に意欲《いよく》をみせるとは思ってもいなかった。自分の独断ですすめられない共同作業は、キャットの最も嫌《きら》う作業だ。

「なぜ作りたい」

思わず問うと、キャットはしばらく沈黙《ちんもく》した後、答えた。

「てめぇがなんで、あんな砂糖菓子を職人連中に作らせようとしているのか、あの形を選んだのか、意味は知らねぇ。けれどあの造形は、作品全体の中であるべき姿だろうと思った。あれがあってこその完成品だと思った。だから作りてぇ。作る必要がある」

飾《かざ》り気のない言葉はキャットらしく、単純だが明瞭《めいりょう》だ。

「おまえ一人だけであれを作るには、時間がない」

「そんなこたぁ、わかってる。あの規模をあと五日で作るには、職人十人以上、必要だ」

「他《ほか》の連中とやるのか？」

「やらなきゃ、できあがらねぇだろうが！」

「おまえ……」

はじめて、キャットを頼《たの》もしいと思えた。腕《うで》は最高で、頭もそれなりに切れるので、上手に使いこなせばこれほど役に立つ男はいないと思っていた。だがそれはどこかで彼を、弟子として侮《あなど》っていたからかもしれない。

だが対等の職人として扱えと怒《おこ》り、そして、人と馴染《なじ》み馴れ合うことが下手《へた》で大嫌いな彼が、たくさんの職人との共同作業になることを承知で自ら「作りたい」と言った。自分のなすべき仕事を知っている、職人らしい言葉だ。

――認めてやってもいいのかもしれない。

ふと、肩《かた》の力が抜《ぬ》ける。

わがまま勝手に、自分の思いだけを貫《つらぬ》くことばかりにこだわっていたキャットも、自分が果たすべき役割を知り、それを担《にな》おうとするほどに精神的に成長したのだろうか。

それはペイジ工房《こうぼう》での助《すけ》っ人《と》の経験が役に立ったのかもしれないし、指導者として妖精《ようせい》たちを指導した経験のおかげかもしれない。あるいはここしばらく、シルバーウェストル城で、銀砂糖が精製できないという、職人にとっては恐怖《きょうふ》に近い経験を続けたからかもしれない。

出会ったときは「子猫《こねこ》」だった彼も、いつの間にかヒューと肩を並べて歩くのだ。

「一日二度の進捗《しんちょく》状況《じょうきょう》の報告は、お前以外にやれない。それを続けながら、王城前広場の作業に集中できるか？」

問うと、キャットは頷く。

「できる」

「尻込《しりご》みする連中のけつをひっぱたいて、作業を進められるのか？」

「……やる」

わずかなためらいがあったが、キャットはこれにも頷《うなず》いた。その目に覚悟を認め、ヒューも決断した。

「わかった。キャット。おまえが王城前広場の作業の、頭になれ。やれ、おまえが」

「最初からそう言いやがれ！」

毒づく声がどこか弾《はず》んで、キャットの猫目が少年のようにきらきらと光るが、彼は自分がヒューの襟首《えりくび》を引っつかんだままなのを忘れているらしく、一層首が苦しくなる。

「キャット。とりあえず、その手を離《はな》せ」

　と、言ったときだった。突然《とつぜん》、執務室《しつむ》の扉《とびら》が開き、サリムが飛びこんできた。彼には珍《めずら》しく、すこし焦《あせ》ったような表情で、

「子爵《ししやく》……！」

　と呼んだ。だが、机越しにキャットに襟首を締《し》めあげられているヒューの様子を目にして、途端《とたん》に目をつり上げた。

「貴様、子爵に何をしている」

「ああ、いい。サリム。これは、じゃれてるんだ」

　咄嗟《とつさ》に腰《こし》の剣《けん》の柄《つか》に手をかけたサリムに向かって、ヒューは笑って、ひらひらと手を振《ふ》った。するとサリムの背を追うように、すらりとした姿が部屋に踏《ふ》みこんでくる。

「猫じゃらしを持ってくれば、あいつは銀砂糖子爵を離して、こっちに飛んでくるぞ。持ってきたらどうだ、サリム？　猫じゃらし」

　と、冷たい声が言った。

　さすがのヒューも驚《おどろ》きに目を見開く。

　そこにいたのは黒髪《くろかみ》と黒い瞳《ひとみ》の、黒曜石の妖精。今、最初の銀砂糖を求めて旅に出ているはずの妖精王、シャル・フェン・シャルだ。

「帰ってきた？　まさか」

全《すべ》てのことを成し遂《と》げたのだろうかとも思ったが、それにしても早すぎる。コレット公爵《こうしゃく》がヒューに囁《ささや》いた情報では、彼らはビルセス山脈という、かなりの北方にいたはずだ。それが一足飛びに、ルイストンに現れた不可解さ。

猫じゃらし云々《うんぬん》と言われたキャットはヒューの襟を離して、遅《おく》れて入ってきた猫じゃらし発言の彼に食ってかかる。

「誰《だれ》が猫じゃらしに飛びつくって⁉」

「大好きだろう？　キャットさん」

「好きじゃねぇ‼　しかも『さん』づけするな‼　てか、なんでこんなところにいるんだ⁉　てめぇはチンチクリンと一緒《いっしょ》に、最初の銀砂糖を探しに行ったんじゃねぇのかよ！　そう聞いてるぞ⁉」

するとシャルの背後に隠《かく》れて姿が見えなかったアンが、慌《あわ》てたようにぴょこんと顔を出して二人の間に割って入った。彼女も当然、一緒に帰ってきたらしい。

「すみません！　キャット、いつもいきなり失礼で！　帰ってきたのは、事情があって」

「その事情ってやつは、後でとっくり聞いてやるが、まずはこいつだ！　我慢《がまん》ならねぇ、いっそこいつと決闘《けっとう》させせろ！」

喚くキャットを、シャルは嬉《うれ》しそうに腕組《うでぐ》みして半眼で眺《なが》め、薄笑《うすわら》いで問う。

「なんで勝負する？」

「砂糖菓子だ！」

「じゃあ、俺は剣だ」

ヒューは立ちあがると彼等に近づき、どうしようかとおろおろするアンの肩に手を置く。

「そのおかしな決闘は、後回しだ。二人とも、状況《じょうきょう》を説明しろ」

そしてシャルに噛みつきそうなキャットの襟首を背後から引っ張って下がらせて、厳しい表情でシャルを見る。

「事情があると、アンは言ったな？　ということは、最初の銀砂糖が手に入ったわけではないな？」

頷くシャルを見て、キャットも急に表情を変えた。

「なんだって？　最初の銀砂糖は手に入ってねぇのか？　どういうこった、チンチクリン」

キャットとヒューが、アンとシャルに交互《こうご》に視線を向けると、彼等は顔を見合わせた。そしてアンが、口を開く。

「事情は説明します、キャット。けれどその前に、なんとかして国王陛下に秘密裏《ひみつり》にお目にかかれないかな？　ヒュー。コレット公爵には気づかれずに、秘密裏に、すぐにお目にかかりたいの。手引きできる？」

無茶《むちゃ》な要求に、ヒューは顔をしかめる。

「それはほぼ、王城への不法侵入《しんにゅう》だな。そんな手引きをしたら、俺は確実に捕《つか》まるぞ」

跳躍《ちょうやく》し、駆《か》けた。駆けて、駆けて、駆け続けた。自分の体にまとわりついたものを一切合切《いっさいがっさい》振り切るようなつもりで、エリル・フェン・エリルは闇雲《やみくも》に走り続けた。

ラファルやアンやシャルに言ったように、もうなにも考えたくなかった。

アンは、考えたら未来が見えるかもしれないと言ったし、自分も、何かがわかるような気がしていた。けれど今は、考えれば考えるほど、胸が苦しくなってしまう。苦しくて、未来が見えるどころか、自分の胸の苦しさで一杯《いっぱい》一杯になってしまって混乱する。

背後からは、ラファルが追ってくる気配も、人間が追ってくる気配もない。

疲《つか》れを感じると、エリルはその日の夜、森の中で木の根元に丸まって眠《ねむ》った。どこの森の中かは判然としなかったが、どこでもかまわなかった。

翌朝目覚めるとひどく空腹で喉《のど》が渇《かわ》いていたので、小川の流れに手を浸《ひた》して渇きを癒《い》やした。だが食べるものは森の中には見あたらない。

エリルは、一人ぽつねんと森の中に立ち尽《つ》くし、ひもじさと寂《さび》しさに、情けなくなる。

ラファルが恋《こい》しい気もしたが、彼の要求と、アンとシャルの存在で気持ちが引き裂《さ》かれる痛みを思い出し、強く頭《かぶり》を振る。

「嫌《いや》だ」

あんなふうに苦しくなるのは、もう嫌だった。

歩き出したエリルの足は、自然と、人間が行き来する街道《かいどう》へ向かった。そこを辿《たど》れば人間が群れ住む村や街があり、そこには食べ物が豊富にあると知っていたからだ。

――なんとか人間の街に紛《まぎ》れこんで、食べ物を手に入れたい。

ほとんど本能だけで、エリルの足は動いていた。

街道沿いの小さな村にさしかかると、村の近くの林の中から様子をうかがった。村に紛れこめるほど、村人の数が多くないとわかると、農家の裏庭に干してある、古ぼけたマントだけを拝借してそこを離れた。マントを羽織って、背中の両羽を隠すと、また街道を歩き出す。

羽を隠して大きな街へ行けば、少しの間なら妖精《ようせい》と悟《さと》られずに、人間の人混《ひとご》みに紛れこめるだろうと踏んだ。そして紛れこんでしまえば、食べ物を探して、かすめ取るのはたやすいだろう。

見あげれば澄《す》んだ秋空に、ちぎれ雲が頼《たよ》りなく、ぽつりと浮《う》かんで流れている。

とぼとぼと歩いていると、腰のあたりが異様に重く感じた。ズボンのポケットを手で探《さぐ》ると、小さな革袋《かわぶくろ》が出てきた。それはアンから取りあげた、最初の銀砂糖が入った袋だ。

胸が、ずきりと痛む。アンの必死の顔を思い出すと、苦しくて仕方ない。自分がどれほどひどいことをしたのか思い知れとでも言うように、その小さな袋は、その小ささのわりにずっしりと重い。

「こんなもの……」

足を止めた。ちょうど街道の傍《かたわ》らに濁《にご》った池があり、自分の姿が、水草が繁殖《はんしょく》して、どろりと濁った水の表面に映っている。薄汚《うすよご》れたマントを羽織って、頭からフードを被《かぶ》っている自分はみじめすぎた。

それに追いうちをかけるように、手にある銀砂糖はさらに重くなる。

――こんなものを持ってたら、苦しくなるばっかり！

革袋を握《にぎ》りしめ、振りかぶって、それを池に投げ込もうとした。

しかしその振りかぶった自分の姿が濁った水面《みなも》に映り、それがいいようもなく醜《みにく》かった。あまりの醜さに、エリルはぞっとして、一歩足を引く。

アンから奪《うば》った大切なものを、捨ててはいけないことくらいエリルにもわかっていた。

「でも僕、……これをどうすればいいの」

エリルは泣き出しそうな震《ふる》える声で呟《つぶや》くと、銀砂糖の革袋をポケットに戻《もど》して、またとぼとぼと歩き出した。

生まれて一年足らずのエリルの足は、自分が見知っている方向にばかり向いていた。エリルは無意識に、自分が、ビルセス山脈に到着《とうちゃく》するまでに歩いてきた道を、そっくりそのまま辿って引き返していた。

ラファルの頬《ほお》には、人間の返り血がこびりついていた。人間が血を流すのを、ラファルは無様で汚《きたな》らしいと思っていたので、普段《ふだん》ならばそれに近寄るのすら嫌だ。けれど返り血は別だ。返り血は、ラファルの勝利感をあおってくれる。

「何人いる?」

足元に横たわる妖精商人と妖精狩人《かりゅうど》たち、十人は下らない数の死体を見おろしながら、ラファルは背後に向かって問いかけた。

「二十人はいます」

配下の妖精が答えた声に、ラファルは薄《うす》ら笑う。

「自由にしてやれ。そして、ともに来いと言え。勝手に逃《に》げてもいいが、すぐにまた狩《か》られることは知っているだろうから、それくらいならば我々とともに来いとな」

そこは妖精市場が立つ最北端《さいほくたん》の街、ノーザンブローだ。北方の荒野《こうや》から妖精を狩り集めてくる妖精狩人も多いので、意外にも、この街にはたくさんの数の妖精が集められている。

ラファルが襲撃《しゅうげき》したのは、妖精狩人と妖精商人が、商品の取引をする現場だった。

街外れの一軒家《いっけんや》に集められていた妖精と、それを売り買いしようとする人間たちのもとに踏《ふ》みこみ、ラファルは妖精王を名乗った。そしてその場にいた人間を、ためらいなく殺した。

ただ一人だけ、わざと逃がした。

その一人はおそらく街中に逃げ帰り、州兵に報告をあげ、その報告は州公からすぐにでも王都へ伝えられるだろう。

妖精王を名乗る妖精が現れ、人間たちを襲撃《しゅうげき》している、と。

窓から射《さ》しこむ斜陽《しゃよう》が、ラファルのブーツの足元にかかり、彼の髪色《かみいろ》と同じように赤く輝《かがや》く。床《ゆか》に流れた血もまた、夕日を照り返しぬめるように光って、ゆっくりと広がっていた。

「シャル。おまえは、人間とは馴《な》れ合えないよ、永久に」

呟くと、くすっと笑って、頬の血をぬぐう。

こうやって人間たちを襲《おそ》い、妖精たちを集めながら、エリルを追いかけるつもりだった。

エリルの痕跡《こんせき》は摑《つか》めなかったが、派手に動いていれば、彼はラファルの存在に気がつくはずだ。そうすれば必ず、彼のほうから近づいてくるだろうと確信があった。

エリルは気高い真の妖精王となるべき存在。だが、まだ生まれて一年足らずで、知識もなく、不安だらけだろう。実際彼は、生まれてすぐにどこへでも逃げていくことができたのに、眠った状態のラファルを慕《した》って追いかけてきた。

あのときと同じように、一人で飛び出したエリルは、いずれ不安《ふあん》に駆られ、ラファルの存在が恋しくなり、近寄ってくるはず。

派手に人間たちを襲撃すれば、人間たちが反撃《はんげき》してくることも想定内だ。

しかし今、人間たちと戦って勝てるかどうかの勝算など、考えていなかった。ただ、妖精王の一人であるはずのシャル・フェン・シャルが、人間と歩み寄ろうとすることが我慢《がまん》ならず、それを徹底《てってい》的に阻止《そし》したいのみ。その一心で、勝算も考えずにラファルは動いている。

妖精王たる自分は絶対に、人間と相容《あいい》れることはない。

妖精の種族の誇《ほこ》りにかけて、妖精王は人間と馴れ合ったりしてはならないのだ。

「とりあえず落ち着いて話せ。なにがあった？」

ヒューはアンの顔色を確認《かくにん》するようなそぶりを見せると、背を押して、ソファーに座れというように促《うなが》してくれた。

「落ち着いてなんかいられないの。すぐにでも、王城に行かないと」

一刻も早くエドモンド二世に対面しなくてはならないと思う焦《あせ》りから、アンが強く首を振《ふ》ると、ヒューは厳しい表情になる。

「事情もわからずに、俺は動けない。考えてみろ、もう聖ルイストンベル教会の夕暮れの鐘《かね》が鳴ったんだ。王城の門は閉《と》ざされ、誰《だれ》一人、入ることを許されない時間だ。そんな場所へ俺が手引きしたところで、どうやって入る？　押し入るか、もしくは泥棒《どろぼう》よろしく忍《しの》び込むしかない。しかも首尾《しゅび》良く忍び込めたとしても、それが果たして、シャルやおまえの立場にふさわしい行動なのか？　おまえたちは、陛下の不興や不信を招いていい立場じゃない」

深いため息をつくと、シャルは腕組《うでぐ》みして出入り口の扉《とびら》近くの壁《かべ》により掛《か》かった。そして、

「銀砂糖子爵《ししゃく》の言うとおりだ。座れ」

と、アンを促す。

二人に言われると、アンもやっと冷静になり、ソファーに腰《こし》を下ろした。

ヒューもアンの向かい側の椅子《いす》に腰を落ち着けたが、キャットだけは、探るようにヒューの背中とシャルの横顔を睨《にら》みつけている。

「で、なにがどうなった？　最初の銀砂糖は存在したのか？」

体を前にわずかに傾《かたむ》けて、膝《ひざ》に両肘《りょうひじ》を乗せると、ヒューが落ち着いた声で訊《き》く。

アンは様々なことを頭の中で整理しつつも、口を開く。

「最初の銀砂糖は、本当にあった。それでいったんは、手に入ったの」

その報告に、ヒューとキャットが、ほぼ同時に微《かす》かに感嘆《かんたん》の声をあげた。

「でも」

と、アンは慌《あわ》てて言葉を続ける。

「それを奪われてしまったの。奪ったのは、エリル・フェン・エリル」

ヒューが呻《うめ》く。

「例の、シャルの兄弟石か。俺は会ったことがないが」

「おい、ちょっと待て」

キャットがヒューの言葉を遮《さえぎ》り、つかつかとやってきて、アンの前に立った。

「てめぇら、俺に隠《かく》してることがあるよな？　そいつを説明しろ。そもそもなんで最初の砂糖林檎《りんご》の木なんてものの存在とありかを、シャルだけが知ってるんだ？　しかもシャルと一緒《いっしょ》に、なんでてめぇが行くことになった？　チンチクリン。おかしいよな？　普通《ふつう》なら砂糖菓子《がし》の存亡に関《かか》わる仕事なら、銀砂糖子爵が行くはずだ。それにシャルだけが最初の砂糖林檎の木の存在を知っていたと、このボケなす野郎《やろう》は俺たちに説明したが……」

そこでキャットはちらっと、背後のヒューを見た。

「そもそもシルバーウェストル城で、てめぇが『あてがある』と言い出したんだぞ、チンチクリン。てめぇも、その存在と場所を知ってたんだろうが。そして二人して今は、国王陛下に会わせろとぬかしてやがる。二人して、なんに関わってやがる」

容赦《ようしゃ》なく追及してくるキャットに、どう答えるべきかとアンは焦った。

適当な答えで彼を誤魔化《ごまか》せないのはわかっているが、かといって、シャルの立場や国王エドモンド二世との誓約《せいやく》など、うかつに話していいものではない。

「しかもこのボケなす野郎が職人連中に作らせようとしている砂糖菓子が、なぜあんな形なんだ？　全部意味があって、全部隠されている。そうだろうが」

　アンが答えられないのがわかってるらしく、ヒューが、

「それを教えていいかどうか、俺たちには判断がつかない。ことは国王陛下やコレット公爵《こうしゃく》の判断を仰《あお》ぐ必要があることだ」

　と答えてくれた。するとキャットが、いつものように喚《わめ》くこともなく、ゆっくりとふり返り、低く怒《いか》りを秘《ひ》めた声で問う。

「俺たちが、本当はなんのために砂糖菓子を作るのかさえ、知っちゃならねぇってのかよ？」

　不愉快《ふゆかい》そうに眉《まゆ》を動かしたキャットだったが、その彼が続けて文句を言う前に、シャルが割って入った。

「どんな砂糖菓子を作るつもりで作業をさせているんだ？　銀砂糖子爵」

　突然《とつぜん》の問いに、ヒューはなんのつもりかと言いたげだったが、必要なことなのかもしれないと判断したらしい。立ちあがると、執務《しつむ》机からスケッチの束を取ってきて、アンが座っているソファーの前に置かれたローテーブルに広げて見せた。

　そのスケッチを見て、アンは息を呑《の》む。

「これ……」

　ゆっくりとシャルも近づいてくると、スケッチを覗《のぞ》きこむ。

「これが俺の構想だ」

何枚にも渡《わた》って、勢いのある線で描《えが》かれたそのスケッチは、一瞬、雑然と並べられたように見えた。しかし一歩引いて俯瞰《ふかん》で見ると、ひと続きの景色になっていた。

ローテーブルの右端《みぎはし》に置かれたスケッチは、おそらくルイストンの南の広場からすこし南に下った凱旋《がいせん》通りから、北側を見通した風景。

その次は、南の広場。

南の広場から再び凱旋通りを北側に望む景色が続き、そして最後に、ローテーブルの左端に置かれた、王城前広場のスケッチになる。

南から北へ、凱旋通りの左右に並ぶのは砂糖菓子だ。南端《なんたん》の左右に展開されるのは、楽しげに群れ遊ぶ妖精《ようせい》たちの姿と、その足元に跪《ひざまず》き、あるいは這《は》いつくばる人間たちの姿。周囲は花に囲まれ、妖精たちは足元の人間の存在に気がついてすらいないかのように、楽しげな姿だ。

それが南の広場に北上するにつれ、様子が変化する。

這いつくばっていた人間たちが、徐々《じょじょ》に身を起こし、顔をあげ、膝で立ち、南の広場に入る直前には立ちあがる。

南の広場の円周に展開するのは、妖精と人間が争う、五百年前の戦《いくさ》の様だ。そこに花はなく、あるのは武器のきらめきだけ。

南の広場から凱旋通りを北上する出口あたりには、倒《たお》れる妖精王と、それを見おろす人間王の姿が、道を挟《はさ》んで描かれている。

そこから北の凱旋通りには、楽しげに働き、笑う人間の姿と、その足元に座る妖精たち。それは南端の景色とは、妖精と人間の立場が入れ替《か》わったかのような絵だ。

しかし王城広場に近づくにつれ、変化が現れる。

座りこんでいた妖精たちが少しずつ立ちあがり、手を伸《の》ばしている。彼等が手を伸ばし、そして手をかけているのは、砂糖林檎の木だ。人間たちも、それらに手をかけている。

王城前広場の円周には、砂糖林檎の木々が乱立し、その合間には働く人間と妖精の姿が、見え隠れする。

そして最も王城に近い、おそらく王城の正門前だ。そこには二つの立像が描かれていた。

一つは、衣装からしてハイランド王国国王を現した姿。もう一つは、

「……シャル」

国王と向かい合う姿は、片羽の妖精の姿。どこかシャルに似ている。その妖精と国王は向き合い、そして互《たが》いの顔を正面に見ていた。

――これが、ヒューが作ろうとするもの。職人たちが、今、作ろうとしているもの。

その規模に驚《おどろ》くと同時に、ハイランド王国最高の職人が考え出した、今、必要な形の的確さに舌を巻く。

砂糖菓子の存続と、シャルの望む誓約。それらをかなえるための幸福を招くのは、容易なこ

とではない。個人の幸福を招くよりももっと大変なのは、たくさんの思惑《おもわく》や願いが絡《から》み合う現実を、願う方向へ導かなくてはならないからなのだ。

それは時代の流れというものかもしれない。

ヒューはそれを、強引《ごういん》に引き寄せるために、大きな流れを描き出したのだ。

最初は、過去の事実をありありと浮《う》き彫《ぼ》りにし、そこから徐々に、望む未来の形へ姿を変えさせる。

──一番大切なのが、ここ。

アンの指は無意識に、左端のスケッチに触《ふ》れる。王城前広場のスケッチだ。

「これは全体的な素案だ。細部は、仕事を任せた各派閥《はばつ》の職人たちに任せてあるが、統一感だけはなくさないように、各作業の代表者が調整をつけている」

アンは顔をあげてヒューを見た。

「ここは、誰《だれ》がやってるの!?　この王城前広場!」

なぜかこのスケッチだけ、他《ほか》のと比べて曖昧《あいまい》な部分が多い。それはその場所だけが現実や過去や伝説を再現したものではなく、未来を映しているからなのだろう。

だが、この場所こそ最も大切で、最も緻密《ちみつ》に、まるで現実のように、形にしなくてはならない場所だとアンは感じた。職人の思考と腕《うで》で、望む形を作り出すべき場所なのだ。

──それをヒューは、この場所を作る職人に託《たく》している。

仕事を託された職人は、この巨大《きよだい》な構造のバランスを崩《くず》すことなく、そして必要な造形をあますことなく盛り込み作る必要がある。

再びスケッチを見おろし、アンは職人の性《さが》が、胸の中でたぎるように呟《つぶや》く声を聞いた。

——ここに描かれているだけじゃ、足りない。なにかが必要。それを職人は、見つけ出さないといけない。

四章　彼女が作りたいもの

自分が作れと命じられたわけでもないのに、自分がここを作るならばどうするだろうかと、必死に考えてしまう。

「今まではノックスを中心とした、各派閥から選出した職人たちでやらせていたが、作業が進まない。だからキャットを中心にして、作業をさせることになった」

それを聞くと、胸が高鳴った。

――この造形に足りないもの、必要なものはなに？　どんなふうに、この場所はできあがるんだろう。キャットはどうやって、作るんだろう。わたしならこれをどうやって作る？

静かに砂糖菓子《がし》のスケッチを見おろしていたシャルが、不意に口を開く。

「職人は、それを作る意味を知っていれば、知らないよりもいい仕事ができるのか？」

問う声は、誰に向けられたものかわからなかったが、キャットが答えた。

「あたりまえだろうが。自分がなにを作っているかもわからず作っちまったら、作品の芯《しん》が定まらねぇ。作る意味を理解してこそ、形に意味を見いだすし、あるべき形がわかるんだ」

キャットは、アンの指が触れている、国王と妖精が向かい合ったスケッチを顎《あご》でしゃくった。

「国王陛下の姿を作るなんざ、不敬も甚《はなは》だしい。そんなもの作るからには、理由を知らなけりゃ、できねぇ」

言われて、アンも自分の指の下を見る。

確かに、国王の姿を形にするなど、軽はずみにしていいことではない。

国王の肖像画《しょうぞうが》すらも、描くことは厳しく制限されているのだ。それを脆《もろ》い砂糖菓子で作り上げるとなると、下手《へた》をすれば、『砕《くだ》けやすい砂糖菓子で国王の姿を作るのは、国王への呪《のろ》いだ』と言い出す連中がいるはずだ。

——それでも、ヒューはこれを作ろうとしている。

アンには、ヒューがそれを作ろうとした思いが、自分の思考のように理解できる。これが、必要な形だからだ。だから作るしかないのだ。

「作る意味を知っていれば、職人は、よりよいものを作るのか？」

シャルが、今度はアンに向けて問う。

アンは顔をあげ、強く頷《うなず》く。

「間違《まちが》いなく、そう。作る意味がわからなければ、形だけをなぞることになりかねない。けれど意味を知っていれば、たぶん……作る形が自分の中ではっきり見える」

背後からルルに抱《だ》かれ、手に触れてもらって、自分の中にある形を目の前にあるもののように想像したときの気持ちを、アンは思い出す。

目の前にあるかのように形を思い浮かべるなどということは、簡単にできるはずはない。けれどあのとき形が見えたのは、アン自身がそれを必要とし、なおかつ必要な形がくっきりと意識できていたからだ。それなくして形を作ろうとすれば、キャットが言うように、形の芯がぶれる。

シャルは目を伏《ふ》せ、しばらく沈黙《ちんもく》した。そして再び目を開くと、落ち着いた表情で口を開く。

「五百年前に人間王セドリックと戦った妖精王《ようせいおう》は、密《ひそ》かに三つの石を残した。それは次代の妖精王となるべき妖精を生む石で、そこから三人の妖精が生まれた」

アンとヒューは驚いてシャルを見やり、キャットは猫目《ねこめ》をくるりと見開く。

「なんの話をしてやがる？」

「おまえが教えろと言ったはずだ」

「シャル!?」

仰天《ぎょうてん》したアンはシャルの袖《そで》を摑《つか》むが、彼はそれをそっと引き離《はな》す。

ヒューが苦い顔をする。

「おまえの独断で、知らせていいのか？　国王陛下や宰相殿《さいしょうどの》は、妖精王の存在が明るみに出ることを嫌《きら》うぞ。そもそも、その存在を明かさない誓約《せいやく》をしたのではなかったのか？」

ヒューの忠告に、シャルは首を振《ふ》った。

「俺が望んでも、人間王が望んだとしても、おそらく妖精王の存在は隠《かく》しおおせないはずだ。

もう、動き出している者たちがいるからな」

「妖精王？　てのは、あれか？　五百年前の祖王と戦った、あの妖精王か？」

キャットは目を白黒させている。突然《とつぜん》持ち出された五百年前の伝説が、現実と結びつかないのは当然かもしれない。

「五百年前の妖精王が望んだ次代の妖精王が、生まれたんだ。この時代にな。今、三人の妖精王がこの地上を歩いている」

淡々《たんたん》と語るシャルの言葉に、彼の覚悟《かくご》を感じる。

ラファルはシャルが、エドモンド二世と誓約を交《か》わそうとしていることを知った。そしてコレット公爵《こうしゃく》配下の兵士の前で、妖精王と名乗りをあげた。それはおそらく、シャルの思惑を阻《そ》止《し》するためだ。兵たちの口から、妖精王の存在は人々の間に漏《も》れていくに違《ちが》いない。

しかもラファルがこのまま、おとなしくしているとは思えない。シャルの意志を知ったからには、彼は機会があるごとに、妖精王だと名乗りをあげるはずだ。シャルの思惑《おもわく》を、徹底《てってい》的に阻止するため。

遅《おそ》かれ早かれ、妖精王の存在は明るみに出る。シャルはそれを覚悟している。

――この事実だけでも、エドモンド二世の信頼《しんらい》を失いかねない。

国王側は、妖精王の存在が明るみに出ることを嫌《きら》っている。シャルはそのことを承知で、以前、妖精王の存在を人間にも妖精にも知らせないと誓約したのだ。

だが実際、その誓約はもはや守ることが不可能なのだ。

ラファルの行為《こうい》によって妖精王の存在が明るみに出るなら、それについてシャルは、国王に対して真摯《しんし》に詫《わ》び、意図してのことではないと弁明する必要がある。

アンは我知らずに拳《こぶし》を握《にぎ》る。王城に向かい国王に対峙《たいじ》したとき、あまりにも言い訳じみたことしか言えないこの状況《じょうきょう》は、最悪だ。

——それでも、シャルは国王陛下と向きあわなくちゃならない。

悔《くや》しいのは、アン自身が、そんなシャルの力になれないことだ。しかしシャルは、アンに現実的な力など期待していないはずだ。その事実もまた、悔しい。

シャルは、アンとキャット、そしてヒューを順繰《じゅんぐ》りに見る。

「作る意味、形の意味を知っていれば、職人がいいものを作るというならば、教えるべきだ。ただし誰《だれ》が妖精王か、そのことだけは明確に伝わらないようにな」

軽く息をつき、シャルはキャットに視線を据《す》える。

「三人の妖精王は、最初の砂糖林檎《りんご》の木の場所を知っていた。そこで妖精王の中の一人は、最初の銀砂糖を人間の手に渡《わた》すことと、三人の妖精王の意思を人間と共存する方向へ統一することを条件に、一つの誓約を人間王に要求した。それは人間と妖精が対等だと、人間王が認める誓約だ」

深い青色のキャットの瞳《ひとみ》には、驚愕《きょうがく》の色がありありと浮《う》かんでいる。

「そんな誓約を、国王陛下がするのかよ？」

「してもいいと、人間王は言った。だが三人の妖精王の思惑はそれぞれに違う。一人は人間との共存を願い、最初の銀砂糖を人間の手に渡したいと思っている。だがもう一人は、人間と相《あい》容《い》れることをよしとせず、戦おうとしている。残る一人は、まだ幼い。状況に混乱して、自らの意思すらわからない状態になっているが、厄介《やっかい》なことにそいつが最初の銀砂糖を握っている。この状況を、人間との共存を望む妖精王が願う未来へ導くために、砂糖菓子は作られている」

「その妖精王が……」

呆然《ぼうぜん》と呟《つぶや》くと、キャットは目の前のシャルを指さした。しかしシャルは、その指をぱしりと叩《たた》く。

「妖精王が誰か、俺も知らない」

「けど、てめぇ……」

指を叩かれたのに文句も言わず、キャットは絶句した。

「妖精王が誰かは、わからない」

繰り返す言葉の意味を汲《く》み取ったらしく、キャットはぽかんと開いていた口をやっと閉じると、考えを整理しているかのように何度か深呼吸した。それからゆっくりと頷くと、いつもの強気な猫目が戻《もど》っていた。

「わかったよ。てめぇは、妖精王が誰だか、知らねぇんだな」

「そうだ、知らない。そしておまえは事の真相を聞いて、砂糖菓子《がし》の形の意味を理解できたのか？　作れるのか？」

「あたりまえだ。ふざけんなよ」

むっとしたように、キャットは傲然《ごうぜん》と腕組《うでぐ》みする。

「意味がわかれば、作る形がはっきりとわかる。形に意味が宿る。俺は、銀砂糖師だ」

猫目は挑《いど》むように、だが同時に、喜びに興奮しているかのように強い輝《かがや》きを宿している。

「頼《たの》もしいな」

言うと、シャルはアンの背に優《やさ》しく触《ふ》れた。

「ならば、銀砂糖師。こいつを頼む」

「え？」

シャルの言葉の意味が呑《の》みこめず、アンは彼の顔を見やった。するとシャルは、ヒューとキャットに向かって要求した。

「こいつと二人きりで話がしたい」

「わかった」

どこか心配げな表情のキャットの背を押して、ヒューはキャットをつれて扉《とびら》を出てくれた。

シャルは再びアンに向き直った。黒い綺麗《きれい》な瞳が、真っ直《す》ぐアンを見つめる。

「シャル、どういう意味なの？　今の」

「アン。おまえはこれから、銀砂糖子爵《ししゃく》の指揮の下で、キャットたちと共に砂糖菓子を作れ」

「その意味がわからないの」

「言葉どおりの意味だ。おまえはここに残って、砂糖菓子を作れ。俺が人間王と対面して事情を説明する。それからエリルを探し、最初の銀砂糖を取り戻し、ラファルとも決着をつける」

シャルはアンに、ここに残れと言っているのだ。すべては彼が引き受けるので、待っていろと言うのだ。そうと理解した途端《とたん》に、こみあげてきたのは、怒《いか》りに似た哀《かな》しみだった。

また、彼は一人で行こうとしている。二度と離れないと誓《ちか》ったのに、と、胸の中で小さなアンが暴れて声をあげる。

「一緒《いっしょ》にいるって、約束したのに！」

「約束した。覚えている。一緒にいる」

「だったら一緒に」

「一緒にいる」

シャルは今一度繰り返し、そっとアンの頰《ほお》に触れる。彼の指は、興奮しているアンには心地《ここち》よい冷たさだった。

「愛《いと》しい。離したくない。ずっと抱《だ》きしめていたい」

言いながら、シャルの指はアンの頰から顎《あご》、首筋に、そして戸惑《とまど》うように鎖骨《さこつ》に触れた。だがそこで、彼は指を自分の胸元《むなもと》に引き戻し、これ以上触れられないのが悔しいかのように、拳を固める。

「だがお互《たが》い、やるべきことは、やらなければならない。違うか？　俺は俺のやるべきことがある。おまえにも銀砂糖師として、やるべきことがある」

「銀砂糖師として？」

銀砂糖師。その言葉が、浮き足立つアンの体を、否応《いやおう》なく地面に引きずり戻す。

銀砂糖師の称号《しょうごう》を持つのは、アンが咄嗟《とっさ》に思い浮かべるだけでも、ヒューを筆頭に、キャット、エリオット、グレン・ペイジ。そして母親の、エマ。その人たちの持つ称号だ。

その称号を持つ者の存在をおとしめるかのように、称号を持つ自分が、無様に振る舞《ま》ってはならないという、心の重しになる。

「おまえは銀砂糖師として、砂糖菓子を作れ。俺のために、俺の望みが叶《かな》うように、幸福が招かれるように、力を尽《つ》くして砂糖菓子を作れ。お前の力で幸福が招かれれば、俺は俺の望みを叶えられる」

シャルのためになにもできない自分の無力さが、悔しかった。だがアンにも、唯一《ゆいいつ》できることがある。彼はそう言っているのだろう。

──銀砂糖師として。

だが、目の前にある黒い瞳を慕《した》う気持ちが強くて、どうしようもない。

「でも、一緒に」

と、思わず言ってしまう。するとシャルが、あやすような優しい声で囁《ささや》く。

「一緒にいる。約束する。ずっとだ。だがお互いやるべきことは、やる。全《すべ》てが終わったら、一緒にいればいい」

全てが終わった後、本当に一緒にいることができるのだろうか。それが確証のない未来だということは、さすがのアンでもわかる。それを、シャルがわかっていないとは思えない。

だが彼はそれを承知で、あえて「全てが終わったら」と、アンを言いくるめようとしている。

シャルの言葉は半分は真実で、半分は嘘《うそ》だ。それは彼自身もよくわかっているのだろうが、アンに悟《さと》らせまいとしている。

——でも、それくらいわたしでもわかるの、シャル。

そう言いたかった。

だがそれでは、本当にわがままで無様なだけの自分になる。シャルも今、教えてくれた。アンが役に立つ唯一の方法を。

「わたし……わかった」

答えた声が涙《なみだ》声で震《ふる》えそうになるが、堪《こら》えて、しっかりと答えた。

「わたしは、砂糖菓子を作る。国王陛下が命令して、銀砂糖子爵が指揮を執《と》って作っている砂糖菓子は、シャルの望むものを希《こいねが》う砂糖菓子だから。そしてわたしは、職人だから」

自分自身は無力だと、痛いほど知っている。だが唯一、どれほどの力になるか定《さだ》かではなくとも、アンにはできることがある。

ふと、シャルが微笑《ほほえ》む。

「作れ。銀砂糖師。俺のために」

耳元で甘く囁くと、シャルは数歩、アンから離《はな》れた。そして窓辺に寄ると背中を見せる。彼の見つめる窓の外に見える景色は、急速に色あせ、闇《やみ》の中に街は沈《しず》もうとしていた。夜が来るのだ。

シャルは、二度とふり向くまいとしているかのようだった。

「作るから。……シャルのために」

アンはそれだけ言うと、身をひるがえして扉を出た。

扉を出ると、いきなり扉の前で、心配顔のキャットとぶつかりそうになった。肩《かた》をキャットに抱《だ》き留められ、アンはびくりとしてしまった。

「おい、どうした。チンチクリン。てめぇ、泣いてんのか？」

驚《おどろ》いた猫目《ねこめ》に見おろされるが、アンは強がって首を振《ふ》った。

「泣いてません」

ヒューは扉の傍《かたわ》らの壁《かべ》にもたれかかっていたが、ゆっくりと壁から背を離した。

「話はついたのか？　アン」

「はい」

キャットが手を離してくれたので、アンはヒューに向き直って頭をさげた。

「銀砂糖子爵。わたしもこれから、作業に参加します。お願いします」

「そうか」

ヒューは、室内で交《か》わされたアンとシャルの決意を感じ取ったかのように、微《かす》かなため息混じりに頷《うなず》く。しかしすぐに、銀砂糖子爵らしい厳しい表情になると、キャットとアンに向かって顎をしゃくった。

「そうとなれば、仕事だ。二人とも、行け」

「チンチクリン。てめぇ、それでいいのか？」

気遣《きづか》わしげなキャットに、アンは首を振って答える。

「いいんです。わたしは、職人です。職人の仕事をさせてください」

キャットは細い眉《まゆ》をひそめていたが、すぐに、大きく息をついて頷く。そして、

「わかったよ。来な。仕事だ」

言うと、階段に向かって歩き出す。アンはその背中について歩き出したが、一瞬《いっしゅん》だけ立ち止まって、未練がましく扉の方をふり返った。

ちょうどヒューが室内に入ろうとしているところで、開いた扉の隙間《すきま》から、窓辺のシャルの姿が見えた。

シャルは、こちらに背を向けたまま。こちらを見もしなかった。背に流れる羽は柔《やわ》らかな薄《うす》

がわせる。
緑色《みどりいろ》だが、強い銀の輝《かがや》きをまといつかせていて、彼の気持ちがまだ張りつめていることをうか
扉が閉まり、シャルの姿も見えなくなる。
素《そ》っ気ないシャルの態度は、すぐにまた会えるからと、その意思表示なのかもしれない。恋《こい》
人同士《びと》になってからの彼の行動を思えば、口づけをして「がんばれ」の一言を囁いて見送りし
てくれそうなものなのに、その気配すらない。
そうやって、アンに別れを意識させまいとすればするほど、不自然だ。シャルは意外に、不
器用なのかもしれない。
キャットの背中について再び歩き出しながら、唇《くちびる》を噛《か》む。
──キスくらいして欲しかった。
いつもは口づけされると恥《は》ずかしくてたまらないくせに、このときはそう思った。はじめて
そう思った自分に驚きもしたが、同時に、口づけして欲しいときにしてくれないシャルに対し
て、不満のようなものを感じる。
──全部が終わったら、わたしからキスするんだ。
不満をいなすように心に浮《う》かんだのは、我ながら驚くような考えだった。それは確証のない
未来に不安を感じる自分を鼓舞《こぶ》するための、精一杯《せいいっぱい》の強がりだったかもしれない。
──わたしから、キスする。シャルがいやがったって、キスするんだから。

シャルがエドモンド二世と約束した期間は、砂糖林檎《りんご》の実が熟《う》れきって落ちてしまうまでだ。アンの見立てが正しければ、おそらく砂糖林檎の実は、王国のどの地域でも、十日以上は持たない。最悪、南の地方なら七日前後かもしれない。

それまでにシャルは、彼が口にしたとおりのことを成し遂《と》げられるのか。

それを思うと絶望的な思いで胸が塞《ふさ》がりそうだったが、アンは俯《うつむ》きそうになる自分の気持ちを奮い立たせようとした。

──わたしは、職人だから。シャルの助けになる、わたしができる唯一のことをする。

最初の銀砂糖を筆頭から受け取ったのは自分なのに、それを取り戻《もど》すことすらも、シャルに託《たく》すしかない。知恵《ちえ》も力もない自分が、闇雲《やみくも》にエリルを探し回ったところで、成果はない。

だからアンは、唯一自分ができることをするしかない。

──それが、わたしがここにいる意味。

銀砂糖師としての仕事。その一言で、アンの瞳《ひとみ》の輝きが変わることをシャルは承知していた。ずるいとは思うが、今はそれを利用するべきだと思い、そう告げた。

ヒューが部屋に入ってくる音を聞くと、シャルは軽く閉じていた目を開く。

ヒューは疲《つか》れたようにソファーに座ると、肘掛《ひじか》けにもたれかかりながら足を組む。

「それで？　状況《じょうきょう》は？　詳《くわ》しく話せ。最初の銀砂糖は、エリルとかいう妖精《ようせい》王に奪《うば》われたんだな？　奴《やつ》の所在はわかっているのか？」

「誰《だれ》にもわからない。俺ともう一人の妖精王ラファルの、双方《そうほう》の要求に混乱して、逃《に》げ出したからな」

「そのラファルという妖精王は、何をしている？」

「奴の所在も不明だ。最初の砂糖林檎の木がある場所に、宰相《さいしょう》コレットの兵が来たことで、場が混乱した」

「やはり、現れたのか。忌々《いまいま》しいほど有言実行だな、後見人殿《どの》は」

そのことを予測していたようなヒューの言葉に、シャルは眉をひそめる。

「知っていたのか？」

「おまえさん方が旅に出てから数日経《た》って、コレット公爵《こうしゃく》が、最初の砂糖林檎の木がある場所を突《つ》き止めたと言ってきた。配下を向かわせるから、俺にも来いとな。おそらく公爵は、レジナルド・ストーからの情報を元に、おまえさんたちを待ち伏《ぶ》せたんだ」

「ストーだと？」

「そうだ。妖精商人ギルドと王家の交渉《こうしょう》が、ほぼ妖精商人ギルドの要求どおりに進んでいる。彼等との交渉条件に一番難色を示していたコレット公爵が、掌《てのひら》を返したように折れた。あの

狼《おおかみ》がなにをしたのかと思っていたが。奴は妖精たちの動きに関して、多くの情報を握《にぎ》ってい
る。それを使って、今回のおまえさんたちが向かいそうな場所の情報を提供したのじゃないか
と、俺は睨《にら》んでいる」

「あいつか」

雨に濡《ぬ》れた焼《や》け跡《あと》の灰のような、暗い髪色《かみいろ》の狼、妖精商人ギルドの長《おさ》レジナルド・ストーを
思い出し、シャルは歯がみした。

――あいつは、俺たちが一時、ラファルを追っていたことを知っている。そしてその行き先
も。

アンとシャルは、ミスリルの命を繋《つな》ぐ方法を知るためにラファルを追った。そのためにレジ
ナルドから情報を得たのだが、そのことを彼は、抜《ぬ》け目なく有効利用したに違《ちが》いない。

コレットはシャルがこれまで旅した方面に配下を分散させて、網《あみ》を張らせていたのだろう。

そしてその網の一つが、ビルセス山脈。ストーが提供した情報で、それがまさに当たりくじ
だったわけだ。

「どこまでも、忌々しい狼だ」

呟《つぶや》くと、ヒューは肩《かた》をすくめる。

「それが商人だろう。それで、エリルもラファルも、所在がわからない。おまえさんは何をす
る気だ？」

「ラファルは妖精王と名乗ってコレットの兵を一人殺した。急がなければコレットが、人間王に報告するだろう。妖精王たちの意思統一は難しいとな。ラファルも、おとなしくしていないはずだ。俺の意志を知ったからにはそれを阻止《そし》しようと、なにをしでかすかわからん。妖精王と名乗って、人間に危害を加えはじめるかもしれない。その前に俺は人間王に会う必要がある。そしてラファルを滅《ほろ》ぼし、エリルを探し出して最初の銀砂糖を取り戻すと、再度告げる。人間王が期限ぎりぎりまで待つというならば、俺はそれまでにエリルとラファルを探し、決着をつける」

ヒューは厳しい顔になる。

「あと数日しかないぞ、シャル。砂糖林檎の実が熟れきって落ちるまで」

「わかっている。だから急いでいる。おまえの力が必要だ。コレットのもとに情報が到着《とうちゃく》し、彼が人間王に報告するよりも早く、人間王に対面する必要がある」

「なるほどな。しかし夜の王城は、門を開かない」

「以前ルルが、夜の散歩だと言って、王城の外に現れたことがあるぞ」

「例外的に門を開けられる者がいる。王族とそれに準ずる立場の者のみだ。我が師は、マルグリット王妃《おうひ》様とご友人だからな、王妃様の命令ならば門は開く。が、王族方は夜間、王城内にとどまっているから、王城の外側にいて、外から門を開けられる方法は基本的にない。ルルのときのように、気まぐれに散歩にでも出かけてくれない限りはな。あと王族以外には、ダウニング伯爵《はくしやく》のみが夜間の王城へ入ることを許されている。あの人は王城の外側にいるが、なにしろ頑固《がんこ》なご老人だ」

「あの老人か」

王国の安定を望み、国王に忠義を尽《つ》くす厄介《やっかい》な老人だった。

だがコレット公爵が出現してみれば、あの老臣の方が、数倍可愛《かわい》く思える。

ダウニングの望みはコレットと同様に国の安定だが、それと同時に老臣には、国王に対して愛着と畏怖《いふ》があるので、人間王の意志さえぶれなければ、御《ぎょ》しきれる。

コレットは、国の安定を望むことはダウニングと同様だ。だが国王に対しての愛着も畏怖もなく、逆に、国益のためには、国王の意志をうまく操《あやつ》って、動かしてしまおうとするかのような言動が見られる。人間王との意思の疎通《そつう》が図《はか》れたとしても、コレットは御しきれないのだ。

あれほど静かな物腰《ものごし》の男ではあるが、シャルにしてみれば厄介な暴れ馬だ。

――ダウニングとコレット。

しばらくの沈黙《ちんもく》の後、シャルはヒューの茶色の瞳を真っ直《す》ぐに見る。

「ダウニングは今、どこにいる」

「あの人の隠居《いんきょ》の地は湖水地方、ストランドだが。今はルイストン近郊《きんこう》の、別邸《べってい》に滞在《たいざい》されているはずだ。それがどうした？」

「ダウニングは、かつてのおまえの後見人だったな？　おまえがダウニングに会うことは可能か？」

「申し入れをすれば可能だが、まさか今からか？」

「してもらう」

「それは無理だ。身分的に同格ならともかく、子爵《ししゃく》の俺が、伯爵に夜間の面会を許される可能性はない。翌朝にと、追い返される」

「朝を待つならば、王城の門が開くのを待っても同じだ」

「おまえの見立てでは、コレットのもとに報告が到着するのはいつ頃《ごろ》だ？」

ラファルが妖精王と名乗りをあげ、コレットの差し向けた兵士を一人殺したのは、今日の午前だ。

馬を乗りつぶす覚悟《かくご》でビルセス山脈からルイストンまで、早足で旅を続ければ、五日。昼夜分かたずに馬を乗り換《か》えながら走り続ければ、二日。

あれから兵士たちが急ぎルイストンへ使者を走らせたにしても、ビルセス山脈からルイストンまでは、二日はかかるはず。

しかし連絡《れんらく》手段は、馬で駆《か》けるばかりではない。そこが厄介だ。

「普通《ふつう》に考えれば、報告がコレットに届くのは早くても明日《あした》の夜。だがもし彼等が鳥を使ったら、明日の朝には知らせが届くかもしれない。今日の昼間にビルセス山脈から飛ばした鳥ならば、そのくらいだろう」

州をまたぐ緊急連絡《きんきゅう》のさいに、鳥が使われることはよくある。州公は、王都へ飛ぶように仕込まれた鳥を保持することが義務になっているし、ルイストンに本拠地《ほんきょち》を持つ兵士たちは、常に連絡を送るために、鳥を連れて遠征《えんせい》することも珍《めずら》しくない。

「最短で明日の朝か。だから今から秘密裏《ひみつり》に、真夜中に、か」

ほとほと困り果てたように、ヒューはため息をつく。

「ダウニング。あいつしか夜の王城の門を開けないというなら、そうするしかない」

「無理だと言っただろう」

「わかった」

シャルは窓辺を離《はな》れ、ついと部屋を横切って扉の方へ向かおうとした。するとヒューが慌《あわ》てたように追ってきて、シャルの肘《ひじ》を摑《つか》む。

「待て。どうするつもりだ」

「おまえをあてにはできないというなら、自分でなんとかするしかない」

「まさか王城に忍《しの》び込むつもりか？　言ったはずだぞ。王城に忍び込むなど、どんな理由があるにせよ不法侵入《しんにゅう》だ。敵対行為《こうい》としか見なされないはずだ。国王陛下の不興をかい、なおかつ、おまえが危惧《きぐ》するコレット公爵に絶好の攻撃《こうげき》材料を与《あた》えることになる」

「王城じゃない。ダウニングのところだ」

「老いたりといえど、相手は武人だ。斬《き》られるぞ」

「その前にねじ伏《ふ》せる」

「で、ねじ伏せた相手に、王城の門を開かせるのか？」

「他《ほか》に手がない」

「なんでそう力尽《ちからず》くだ!?　だが、やるだろうな。確実におまえなら、やる！　ああ、もう。わかった！　わかったから、待て！」

やけくそのように言い、ヒューはシャルの肘から手を離すと、鼻先に指を突きつけた。

「いいか、出ていくなよ。待てよ。ねじ伏せるよりは多少ましな手を打つから、出ていくのは真夜中過ぎにしろ。いいな、動くなよシャル」

「そんな手があるなら、先に言え」

「わずかにましってだけだ」

すこし怒《おこ》ったように言うと、ヒューは執務《しつむ》机に向かった。そして引き出しをひっくり返し白い紙を取り出すと、椅子《いす》に腰掛《こしか》け、羽ペンを握《にぎ》った。忌々《いまいま》しそうな表情をしながら、羽ペンで文字を綴《つづ》りはじめる。

シャルは入り口脇《わき》の壁《かべ》にもたれかかり、腕組《うでぐ》みしてその様子を眺《なが》めていた。

一刻も早く人間王に対面し、コレットに横やりを入れられることなく、現状とシャルの思いを伝えなくてはならない。

――しかしラファルがどう出るか。

彼がシャルの思惑《おもわく》を阻止しようとするならば、必ず妖精王《ようせい》と名乗りをあげて騒《さわ》ぎを起こす。そうなったときでも、シャルは人間王との信頼《しんらい》の糸を繋《つな》いでいられるのだろうか。

――そしてエリル。どこにいる？

アンとした不確かな約束を、守ることができるのだろうか。

恋人《こいびと》になじられるような嘘《うそ》つきには、なりたくなかった。

「作業が始まって二日だ。だいたい順調に進んではいるが、王城前広場の仕事だけは別だ。そこはステラ・ノックスを頭にして、各派閥《はばつ》から集められた職人がやることになってたが、いっこうに仕事が形にならねぇ。それでさっき俺が、ボケなす野郎《やろう》から王城前広場の仕事を仕切れと言われた」

銀砂糖子爵の執務室を出ると、キャットはどんどん廊下《ろうか》を歩き始め、階段を下りる。

背中越《ご》しに、なぜかちょっと不機嫌《ふきげん》そうにキャットが説明するのを聞きながら、アンは彼の歩調に合わせて早足でその背中を追った。

「わたしは、どこの仕事にはいればいいですか？」

玄関扉《げんかんとびら》前に到着《とうちゃく》すると、いきなりキャットが、ぴたりと足を止めた。

突然《とつぜん》の停止にアンは危《あや》うく彼の背中にぶつかりそうになるが、すんでの所で立ち止まることができた。彼の背中の温《ぬく》もりさえ鼻先に感じる場所で、キャットがいきなりくるりとふり返ったので、面食《めんく》らって一歩足を引く。

キャットは眉根《まゆね》を寄せ、アンを見おろした。

「チンチクリン」

「は、はい」

脅《おど》しつけるような声に怯《ひる》みながらも頷《うなず》く。するといきなり、ぱしっと頭のてっぺんを平手で叩《たた》かれた。

「痛っ！」

両手で頭を庇《かば》って押さえると、キャットは当然だと言わんばかりの顔で腕組みした。

「いきなり、なにするんですか。キャット」

「てめぇが、シャルとボケなす野郎とぐるになって、とんでもねぇことを、こそこそやっていた罰《ばつ》だ」

「こそこそなんて」

「じゃ、堂々としていたのかよ？」

「……していません。ごめんなさい」

しゅんと項垂《うなだ》れると、キャットはアンから視線を外してため息をついた。

「シャルの野郎は、俺に、事情を打ちあけやがったな。俺に打ちあけるってことは、王家が隠《かく》したがっているらしい妖精王の存在が世間に知られるのは、防げねぇってことなんだろう。だから教えたんだろうが」

「はい。たぶん」

コレットの兵士たちが、ラファルが妖精王であると知った以上、彼等の口から「妖精王の存在」そのものが噂《うわさ》として世間に広まるのは防ぎきれない。

よしんば兵士たちが鉄壁《てっぺき》の統制でそれを防いだとしても、あの様子のラファルがおとなしくしているとは思えない。あえて兵士たちに向かって妖精王と名乗り、執念《しゅうねん》を持って兵士を一人殺したくらいだ。そこまでする彼が、己《おのれ》の存在を誇示《こじ》し、人間と敵対することを人間たちに知らしめないはずはない。

全《すべ》ては、シャルの望みを砕《くだ》くために。そのためになら彼は、どんな危険でも冒《おか》しそうだった。

「だがそれは、知られてはまずいことなんだろうが」

「はい」

こういうとき、キャットの察しのよさが有り難《がた》かった。全てを逐一《ちくいち》説明しなくとも、彼は妖精王の一人であるシャル自身もまた、危うい立場であると察してくれる。

「あいつが口にしたように現実がうまくいかなけりゃ、まずいんだろう？」

「はい」

そこでキャットは再びアンに視線を戻《もど》した。

「それで、おまえはどこの仕事をしてぇと思う？」

「え？」

「なんの形を作りてぇと思う？　あのボケなす野郎が描《えが》いた素案は、見ただろう。あの中で、どこを作りたい」

キャットの意図がわからずに、しばらくぽかんとした。だが少しずつ、ゆっくりと染《し》みこむように、キャットの心遣《こころづか》いを理解した。

——ほんとうに、……なんでこんなに察しがいいんだろう。無頓着《むとんちゃく》なところは、まったくなんにも考えてないみたいなのに。

思わず微笑すると、また、ぱしりと頭を叩かれた。

「笑ってんじゃねぇ！　真面目《まじめ》に考えやがれ」

「か、考えてます」

再び頭を押さえて、アンはそれでも口元がほころぶのを止められなかった。

キャットは、最初の砂糖林檎《りんご》の木のことや妖精王のこと、様々なことを隠していたアンに文句を言いながらも、その労をねぎらっている。そして状況《じょうきょう》がまったく進展していないどころか、危機的なことも承知の上で、アンがシャルのためと、砂糖菓子《がし》のためにできる、唯一《ゆいいつ》で最上の仕事をさせようとしてくれている。

だから彼は、なんの形を作りたいのか、と訊《き》いてくれているのだ。

そうであるならば、アンが作るべきものは一つ。

ヒューが描いた素案を見た瞬間《しゅんかん》から、その造形に惹《ひ》かれた。そして同時に、描かれたものだけでは絶対になにかが足りないと直感し、その足りないものを自分の指先で、銀砂糖の中から探《さぐ》り当てたくなった。

「王城前の広場の造形を」

アンは、告げた。

「キャットがこれから仕切る予定の、王城前広場の作業に参加させてください。けれどわたしは以前よりもまだ、造形に自信がありません。小さなものは確実に作れる程度には、技術は回復しました。けれど大きな造形はまだ、試《ため》していません。それを試しながらの作業になるので、時間がかかるかもしれません。だから、ほんの一部しか作れないと思います」

「その一部、選ぶならばどこを選ぶ？」

「妖精王の姿を」

アンは一語一語、嚙《か》みしめる。

「国王陛下と向き合った、妖精。あれはたぶん妖精王です。あの妖精王の姿を作りたいです」

銀砂糖子爵別邸《ししやくべってい》前の街路からも、街のざわめきとは違《ちが》う、人の会話の声が聞こえる。職人たちの声だった。別邸前の街路もまた、砂糖菓子を作り、飾《かざ》るための場所になっているのだ。

腕組みしてアンを見おろしていたキャットだったが、しばらくして口を開く。

「国王陛下の造形は、俺が作る。俺が自分で作りてぇと言い出したんだから、不敬の罪に問われかねねぇものを、他《ほか》の職人連中に任せて責任をおっかぶせるわけにはいかねぇからな。俺の作るものと、対《つい》で作れるか？　確信があるのか？」

それはアンの技術に対する確認《かくにん》だろう。

キャットは、アンが、身につけた技術をすっかり忘れた様子を目《ま》の当たりにしているのだ。いくら作りたい情熱があったとしても、技術が追いつかないのでは話にならない。

自分の両 掌《りょうてのひら》を軽く握り、開いてみた。瞬《まばた》きを数度、繰《く》り返す。

基本的な技術の確認を頭の中で繰り返し、瞬きの数と指の動きを反芻《はんすう》する。

エリオットとともに、じりじりと坂を這《は》い上がるようにして摑《つか》んだ技術。

それをもとにして、ヒューの手の動きを確認したときのこと。

そしてまた銀砂糖妖精《ようせい》筆頭の、まるでアンの思考の中に、直接優《やさ》しく、的確な技術をすり込むようなしっかりとした言葉と手つき。

覚えているし、指を制御《せいぎょ》できる自信がある。意識して根づいた技術は、頭の中でも鮮明《せんめい》に再現され、ぶれることがない確信を得られた。

あとは、造形だ。

ルルの手がアンの手に触《ふ》れた感触《かんしょく》を思い出す。

目の前にあるもののように想像する、という彼女の教え。優しいルルの口調が、こだまのように耳に残っている。彼女の言葉は単純だが、唯一の真実だった。

――ルルの言葉さえ忘れなければ、作れる。

ほんのすこしだけ、不安だった。だが自分の頭の中にある鮮《あざ》やかな技術の一つ一つが、アンに不安を乗り越《こ》える自信を与《あた》える。それはとても心強かった。

技術をなくし再修業《しゆぎよう》する前には感じたことのない、自分の技術に対する確固たる自信だった。それは曖昧《あいまい》だった技術が、自分の中で鮮明に存在するからこそ持てる自信だ。

そして自分は、他のどの職人よりも妖精王のことをよく知っている。彼の瞳《ひとみ》や羽や、指先や、そんなものが目を閉じると鮮明に浮《う》かぶ。自分以上にその姿をありのままに作り上げられる職人はいないはずだ。彼の姿を形にする仕事は、誰《だれ》にも譲《ゆず》れない。

確信を持って、アンは頷く。

「できます。作れます」

顔をあげ、まっすぐキャットの目を見つめる。キャットは無言で、アンの表情に嘘《うそ》がないか探ろうとしているかのようだったが、しばらくして納得《なつとく》したらしい。

「わかった。来い、王城前広場に行く」

言うと背を向け、銀砂糖子爵別邸の扉《とびら》を開く。

「はい！」

溌剌《はつらつ》と答え、アンはキャットの背を追った。

五章　職人の最高の終わり方

太陽は沈《しず》みきって、すっかり夜になっていた。しかしアンとキャットが踏《ふ》み出した街路は、かなり明るかった。至る所にランタンが掲《かか》げられ、その光が街路を覆《おお》う白い布に反射して、白い布の隧道《すいどう》の中は一層明るい。

この凱旋《がいせん》通りの様子を、アンはシャルとともに銀砂糖子爵別邸に向かう道すがら横目に見ていた。目にしたときは驚《おどろ》いたが、一刻も早く王城に行かなければと思う焦《あせ》りから、注意を払《はら》ってその様子をつぶさに見ることはできなかった。

しかし今、こうやって白い布で覆われた中に入ると、改めて、この計画の規模を肌《はだ》で感じる。

街路の中央に並べられた作業台で銀砂糖を練っている職人の中に、妖精の姿がちらほら見える。ホリーリーフ城にいた妖精たちだろう。そして彼等の手から、練り上がった銀砂糖を受け取る職人たちは、街路の左右に設置された膝《ひざ》の高さにある台に向かって、それぞれに任された形を作り続けていた。

見習いたちが走り回る白い隧道の中を、キャットは職人たちや作業台を避《よ》けて、すいすいと歩む。アンは彼に遅《おく》れないようについていきながら、妖精たちが、違和感《いわかん》なく職人たちとともに作業をしている様に驚いた。

「銀砂糖妖精見習いのみんな、職人たちから反発を受けてないんですか？」

前を行くキャットの背に問うと、彼はちらっと周囲の様子を眺《なが》めて苦い顔をする。

「よく見てりゃ、職人連中が妖精たちを、大歓迎《だいかんげい》してるわけじゃねぇって、わかる」

「え？」

アンは歩きながら、周囲の様子に目を走らせる。そう言われてみても、あからさまな嫌《いや》がらせや罵倒《ばとう》などはないように思えるのだが、実のところは違うのだろうか。

「ただ、妖精たちが仕事にはいってくることを、云々《うんぬん》言ってる場合じゃねぇから、あからさまな騒動《そうどう》になってねぇだけだ。職人だって必死だ。なにしろこいつらも、事がうまく運ばなけりゃ砂糖菓子が世の中から消え、仕事を失っちまう。脅《おど》かされたからな。銀砂糖子爵《ししゃく》の、あのボケなす野郎《やろう》に」

「ヒューが？」

「ああ、脅かしやがった。国王陛下の命令だが、国王陛下のために作る砂糖菓子《がし》じゃねぇとな。この砂糖菓子の祈《いの》りが届かなけりゃ、砂糖菓子は地上から消えて、てめぇらは失業だとな。ありゃ間違《まちが》いなく、脅しだ。だがな」

キャットは嫌そうな顔をしながら、渋々《しぶしぶ》の口調で言った。

「うまいやり方だ。そりゃ、認める。職人連中は、妖精といざこざ起こす気分がなくなっちまうくらい、焦る」

二人は白い隧道を抜《ぬ》け、ひろびろと開けた、大きな円形テントの下に出た。

そこは凱旋通りの最北端《さいほくたん》で、王城の正門前の円形広場。王城前広場だ。

その広場の円周に柱が立てられ、白い布で頭上から周囲まで覆われているので、巨大《きょだい》な円形テントに思えたのだ。

広場の円周には街路と同じく、砂糖菓子を飾るための台がぐるりと設置され、その台は、最も王城の正門に近い最北の場所だけ幅《はば》が広く取られていた。そこにアンが担当したいと申し出た、妖精王の姿と、キャットが作ると宣言した、人間の王の姿が飾られるのだろう。

広場の円周に並べられた作業台には職人や妖精たちがいて、黙々《もくもく》と作業をこなしている。円周の造形は、徐々《じょじょ》にだが、すすめられているようだ。

だが最北の場所にだけは、砂糖菓子の土台すらまだ置かれていない。その前にある作業台に集まっている職人たちは八人ほど。難しい顔をして作業台を囲んで、作業台の上に置かれたスケッチを指さしながら、互《たが》いになにか言い合っている。

職人の中の一人には、見覚えがあった。ステラ・ノックスだ。

ステラは体調でも悪いのか、一人だけ小さな丸椅子《いす》に腰掛《こしか》けて作業台に肘《ひじ》をかけ怠《だる》そうにしながら、とてつもなく面倒《めんどう》だと言いたげに、口論する職人たちを上目遣《うわめづか》いに見あげている。大あくびをしていた彼は、真っ先にキャットとアンの姿に気がついたようで、こちらに顔を向けた。アンと目が合うと、彼は「どうしてここにいるんだ?」と、問いたげな表情で小首を傾《かし》げた。

キャットは真っ直《す》ぐ職人たちのところに向かって行き、アンも続く。

「なにやってんだよ、てめぇら」

いきなりキャットが、職人連中の背後からそう言ったので、苛々《いらいら》していたらしい彼等は険のある目でこちらをふり返った。

「ヒングリーか」

キャットの顔を認めてさらに嫌そうな顔をしたのは、三十代の働き盛りらしい、精悍《せいかん》な顔つきの男だった。

「銀砂糖子爵が腕《うで》を見込んだ職人が八人、雁首揃《がんくびそろ》えて何やってやがる。てめぇは何やってやがる、ジョンソン? 銀砂糖師だろうがよ。ほかにも二人ほど銀砂糖師がいるよな? しかもノックス。てめぇが頭だろうが。座りこんで何やってやがる」

ステラ・ノックスは肩《かた》をすくめた。

「銀砂糖師の連中が、『銀砂糖師でもないやつは黙《だま》れ』と言うからね、黙るしかないんじゃない?」

「はぁ?」

キャットは呆《あき》れたような声を出した。

「誰《だれ》がそんなこと言いやがった」

「誰ってことないけどね、口々にという感じかな？　いいよ、俺はもう。好きにすればいいじゃない」

投げやりなステラの態度も大人げなかったが、頭と決められた職人に対して「黙れ」というのは、褒《ほ》められた行為《こうい》ではない。

「てめぇら、銀砂糖子爵が決めた頭に不満があるなら、そもそも作業の前に銀砂糖子爵に言いやがれ」

「不満があるわけじゃない。ただ口論の中での、言葉のあやだ」

真っ当なキャットの言葉に、ジョンソンと呼ばれた男が気まずそうに答えた。

――聞いたことがある。銀砂糖師のジョンソン。

キャットほどではないにしても、彼もそれなりに腕が良いと評判の人物だ。

「口論してただ？　それでこの二日間、八人も職人がそろっていて結果がこれかよ？　てめぇら失業してぇのか！」

キャットが指さした空っぽの台に背を向け、職人たちは押し黙った。彼等とて作業が進んでいないことに苛立《いらだ》ちを感じ、そして戸惑《とまど》っているのは確かだろう。

「もう、いい。俺が頭を引き継《つ》ぐ」

決然と告げたキャットに、驚いたように職人たちが顔をあげた。

「おまえが!?」

ジョンソンが真っ先に不平を言いたそうに口を開いたが、

「そう決まった。銀砂糖子爵がそう決めた。文句はねぇだろうが？　二日間の成果がこれだからな」

言われると、ジョンソンは言葉を呑《の》みこむ。ステラは怠そうに手をあげる。

「俺は賛成するね。俺は適任じゃないよ、あんたの指示で動くほうが楽だし性に合ってるよね」

と言い、それから、キャットの背後に立つアンに目を向けた。

「あんたも、ここの作業に参加するの？　でもあんたは別の大切な用件で、今回の仕事には加われないのじゃなかった？　銀砂糖子爵からはそう聞いてたけど？」

ステラの言葉で、他《ほか》の職人たちはようやくアンの存在に気がついたらしい顔をした。何者だろうかと、互いに確認《かくにん》するように顔を見合わせたので、アンは急いで一歩進み出て頭をさげた。

「アン・ハルフォードです。砂糖菓子職人です」

名乗ると、ステラを除く七人の職人が一様に驚《おどろ》きの表情になる。

年若くして銀砂糖師となった女の子の名は有名なのだ。だが実際本人の顔を見ると、誰もがさらに驚く。こんな子供みたいな少女が、銀砂糖師になったのか、と。

「ステラが言ったみたいに、大切な用件で、今まではこの仕事に参加できませんでした。けれど今から参加します。よろしくお願いします」

頭をさげたとき、

「アン！」

きんきんと甲高《かんだか》い、耳障《みみざわ》りな、けれどとても聞きたかった声が、背後からアンの名前を呼んだ。ふり返ると、広場を横切って、掌大《てのひらだい》の小さな妖精《ようせい》が跳《は》ねるようにしてこちらに向かって真っ直ぐやってくる。銀色の髪《かみ》と、湖水の色を映したような瞳《ひとみ》。湖水の水滴《すいてき》の妖精ミスリル・リッド・ポッドだ。

「アン！」

「ミスリル・リッド・ポッド！」

アンの胸の中に飛びこんできた小さな妖精を受け止めると、顔のところまで両掌で持ち上げて小さな頭に頬《ほお》をすりつけた。

「会いたかった！　来てたのね！」

「あたりまえだ、俺様、立派な職人見習いの見習いだからな」

頬ずりされるのをくすぐったそうにしながらも、ミスリルは誇《ほこ》らしげに答えた。

「それにしてもおまえ、どうしたんだよ。もう使命を果たしちまったのか？　シャル・フェン・シャルの奴《やつ》は？」

ミスリルから頬を離《はな》して、アンは彼の顔を見つめた。

「それが……まだなの。詳《くわ》しくはここでは話せないけど……。わたしがいても、どうしようもない状態になってしまったの。だからシャルが一人で、なんとかするって」

これから、どうなるのだろうか。シャルはなにをするつもりで、どうなるのか。

エリルとラファルは、どうしているのだろうか。

ラファルがおとなしくしているとは思えないし、エリルに至っては、無事にいてくれることを願うばかりだ。彼が最初の銀砂糖を持っているのだし、あの幼くて美しい、だが高い戦闘《せんとう》能力を持つ彼が、どれほど現実の世界で戸惑っていることか。みんなが勝手に彼に押しつける思いに、あの幼い心は混乱したままなのだろうか。

不安をねじ伏《ふ》せようとしているのに、ミスリルの湖水色のくりくりした瞳を見つめていると、彼に甘えるような気分が強くなって目が潤《うる》む。

──駄目《だめ》だ。こんなこと、考えちゃ駄目。

「アン？」

気遣わしげなミスリルに向かって、強く首を振《ふ》ってみせた。シャルの言葉が胸の中にはしっかり残っていたので、それにすがるようにして続ける。

「平気。大丈夫《だいじょうぶ》。わたしは、わたしのできることをする。砂糖菓子《がし》を作って、望むことが全《すべ》て、良い方向へと向かってくれるように祈《いの》るの。わたしは職人だから、これしかできることがない」

ミスリルはむうっと腕組《うでぐ》みする。

「状況《じょうきょう》はよくないってことだなぁ。砂糖菓子の存続も、今のままじゃ危《あや》ういってことか」

「うん」

二人の会話に、背後にいる職人たちの顔が険しくなる。

「君」

ジョンソンが、アンの背に声をかけた。ふり返ると、ジョンソンは苦虫をかみつぶしたような顔をしている。

「銀砂糖子爵《ししゃく》は『最初の銀砂糖を求めて旅に出ている者たちがいる』と言っていたが、それは君か？」

それに答えていいものかどうか迷い、アンはキャットに目顔で問いかけた。するとキャットは、話せばいいというように、頷《うなず》く。

「はい」

「それで君は、力のある最初の銀砂糖を手に入れられなかったのか？　そんなものは存在しなかったのか？」

「存在はしていました。一度は、わたしは手にしました」

その答えに職人全員が声をあげ、ステラさえもが腰《こし》を浮《う》かす。

「それでなんで、その最初の銀砂糖がないんだよ、あんた」

急《せ》き込んで問うステラに、アンは首を振る。

「奪《うば》われました。国王陛下の兵隊たちですら、手こずるような相手に。でも……！」

呻《うめ》く彼等の絶望感が膨《ふく》れあがる前にと、アンは声を張った。

「でも、まだそれを取り戻《もど》せる可能性がある人がいます。その人が、最初の銀砂糖を手に入れると約束してくれました！　その人がきっと取り戻してくれます。そしてわたしたちに、最初の銀砂糖をもたらしてくれます」

「確証はあるのか？」

ジョンソンの問いに、アンは首を振る。

「確証は……ないです」

「ならばもはや、砂糖菓子は……」

顔色をなくす職人たちに向かって、

「やいやいやい、おまえら自分が何者かってことも忘れてんのか!?」

アンの掌の上で、突然《とつぜん》ミスリルが目を三角にして怒《ど》鳴《な》った。一瞬《いっしゅん》、職人たちは誰に怒鳴られたのかわからなかったらしく周囲をきょろきょろ見回したが、

「ここだ、ここ！　俺様だっ！　ここ見ろ！」

ミスリルがじだんだ踏《ふ》んで喚《わめ》いたので、職人たちの視線がアンの掌の上に集中した。職人たちは驚いたというよりも、呆《あき》れたような顔をしてミスリルを見おろす。

「なんだ？　おまえは」

職人の一人が問うと、ミスリルは顎《あご》をあげ、腰に手を当てると胸を張った。

「俺様はミスリル・リッド・ポッド様だ。聞いて驚け。俺様は、五百年ぶりに出現する色の妖精になるはずの、とりあえずは砂糖菓子職人見習いの見習いだ」

そしてびしっと、職人たちに指を突《つ》きつける。

「俺様は見習いの見習いだけどな、自分が何者かってことくらいは忘れないぞ！　俺様は職人の見習いの見習い。だから俺様には、しなくちゃならないことがある。こんなときだからこそだ！」

突然喚きはじめた妖精の存在に誰《だれ》もがぽかんとしていたが、勢いに押されるようにジョンソンが問い返す。

「なにをするんだ？」

「仕事だ！　決まってんだろう」

「仕事……」

ジョンソンはおうむ返しに呟《つぶや》き、しかしその直後、はっと目の色が変わる。

キャットは揶揄《やゆ》するように、

「見習いの見習いに説教されてるようじゃ、銀砂糖師も形無しだなぁ、ジョンソン。このチビの説教を聞いたら、てめぇもわかるだろうが。今、てめぇらがやるべきことってのが」

そう言うと、ついと一歩前に出た。そして急に表情を改めると、そこにいる八人の職人たちに向け、声を張った。

「確証なんぞ、求めてどうするよ⁉　てめぇら、自分の手がなにをできるか忘れたか⁉　てめぇらが作る砂糖菓子は、なんのために作るんだよ」

アンは、自分の胸の中にある信念が揺《ゆ》るがないように、不安で消えてしまわないように、ミスリルを胸に強く抱《だ》きしめた。そして、

「砂糖菓子は、幸福を招くものです」

呟くように答えた。

「幸福が来るように、よい運気が流れ込むように、望みが叶《かな》うようにと、人々はそれを求めます。職人はそれを作ります。幸福を招くようにと、祈りながら」

職人たちは、そのことを忘れていた自分たちが信じられない、といった表情だった。

「作るぞ」

キャットが作業台に近づき、そこに広げられていた素案を見おろした。アンは彼の隣《となり》に並び、そして職人たちは引き寄せられるように作業台の周囲に集まった。

集まった職人たちを見回し、キャットがちらっと笑った。

「もしこれが、砂糖菓子職人が作る最後の砂糖菓子になったとしても、自分のために作って終われりゃ、職人として最高の終わり方じゃねぇのか？」

不吉《ふきつ》な言葉に一瞬ぎくりとしたような職人たちも、キャットの挑《いど》みかかってくるような微笑《びしよう》に、苦笑《くしよう》を返した。

「さあねぇ。どうだか」

と肩《かた》をすくめたのはステラで、ジョンソンは、

「かもしれんな」

と答えた。アンは頷く。

「そう、思います」

もしすべての望みが叶わず砂糖菓子が消えたとしても、作ったことを後悔《こうかい》だけはしたくない。できるだけの力を尽《つ》くしたのだと、胸を張りながら、消え去ったものを懐《なつ》かしみたい。

そう言えるだけのお膳立《ぜんだ》ては、銀砂糖子爵が整えてくれている。

ハイランド王国に残る銀砂糖の全《すべ》てと、ほとんどの砂糖菓子職人たちが王都に集《つど》い、作れと命じられているのだ。空前の規模といっていい。

あとはこの場所で、職人が後悔のない仕事を成し遂《と》げるだけなのだ。幸福を祈って。

アンは砂糖菓子のために、妖精《ようせい》の未来のために、恋人《こいびと》の望みのために、祈るのだ。

ダウニング伯爵《はくしゃく》の別邸《べってい》はクロウ城と呼ばれ、ルイストンの南に位置する。城と呼ばれていたが、伝統的な城の構造はなく、どちらかといえば城館と呼ぶのがふさわしい。内乱後に建築されたので、こぢんまりとしていて居心地《いごこち》のよさを追求しており、新しい時代の建築物らしさが漂《ただよ》う。

三階建ての城館の最上階の窓から、ルイストンの王城を一枚絵のように美しく眺《なが》められるのもまた、昔ながらの、戦《いくさ》のために用意された城とは違《ちが》う工夫《くふう》の一つだ。

しかし新時代の建築物らしく、守りは手薄《てうす》になりがちだ。それが今のシャルには有り難《がた》かった。

ヒューから、ダウニング伯爵の私室の位置を訊《き》きだしていたので、クロウ城に忍《しの》び込んだシャルは、真っ直《す》ぐ三階へ向かった。

三階の中央部分にある部屋。そこは王城の姿を真っ正面に眺めることができる、最高の位置にある部屋だという。そこが王家の忠臣であるダウニング伯爵の私室だ。

目当ての部屋らしき扉《とびら》の前に立ち、シャルは一瞬ためらう。

——簡単すぎる。

守りが手薄な新時代の建物であり、さらにそこに滞在《たいざい》しているのが、王国の重臣だったとはいえ隠居《いんきょ》した老人だ。簡単に城内に入り込めても当然のような気がしていたが、城内の異様な静けさが不気味だ。

まるで誰かに命じられ、意図的に警備を手薄にして、息をひそめているかのようだ。

――銀砂糖子爵《ししゃく》はどんな手を打った？

ヒュー・マーキュリーは一枚の手紙をしたためてダウニング伯爵に届けさせた。そしてシャルに、真夜中を過ぎてからクロウ城へ忍び込めと言ったのだ。なにをしたのかと問うと彼は、「ダウニング伯爵からの返事がないから、確信はない。うまくいっていれば、ダウニング伯爵に会えるだろう」と答えた。

銀砂糖子爵の打った手が、裏目に出ている可能性もあるが、安全を求めて、ためらっている時間はなかった。シャルは意を決し、扉を押し開くと、部屋の中に体を滑《すべ》り込ませた。

滑り込んだ瞬間《しゅんかん》、ぎくりと足が止まった。

部屋の奥、正面に大きな窓が開かれており、そこに、月光に照らされる王城の姿が、暗いキャンバスの上に描《えが》き出されたかのようにくっきりと浮かんでいる。

その一枚絵ともいえる風景の手前に、無骨だがしっかりとした作りの丸テーブルと椅子《いす》が置かれ、そこにダウニング伯爵が腰掛《こしか》けていた。手元にはワインを入れたグラスが置いてあったが口をつけた様子はなく、老人ながら背筋の伸《の》びた姿は武人らしさが漂う。

王城を背景にした暗い部屋の中で、ダウニング伯爵はこちらを真っ直ぐ見つめていた。

「来たか。妖精王」

ぞんざいな口調ではあったが、シャルを侮《あなど》る気配はない。馬鹿丁寧《ばかていねい》に喋《しゃべ》るコレット公爵《こうしゃく》の言葉のほうにこそ、シャルは侮りを感じる。

「俺が来ると知っていたのか」

「マーキュリーから手紙が来たからな」

懐《ふところ》を探《さぐ》ってダウニング伯爵は一枚の手紙を取り出すと、テーブルの上に置き、とんと指で叩《たた》く。

「真夜中に客があるだろうとな。けして害意のある客ではないが、背には片羽があると。会って欲しいと、マーキュリーは珍《めずら》しく懇願《こんがん》してきた。砂糖菓子《がし》の存続に必要なのだとな。しかし」

そこで言葉を切ると、ダウニング伯爵は鋭《するど》い目でシャルを見やる。

「わしは老いたる身。それを身に沁《し》みて知ったからこそ、陛下の臣として働くことを辞《や》め、引退した。その老人になんの用件があるのだ。わしにはなんの権限もないぞ、妖精王よ」

敵意のないことを示すためにゆっくりと歩み寄りながら、シャルは頷《うなず》く。

「おまえの立場はよく知っている。おまえの権限に頼《たよ》ろうとしているのではない。ただ今すぐにでも王城に入り、人間王と対面したい。それだけだ。おまえならば夜の王城の門も開けることができると聞いた」

「なぜ、その必要がある？　そもそも、なぜここにいる？」

「状況《じょうきょう》がよくない。このままでは砂糖林檎《りんご》の実が熟《う》れきって落ちる前に、俺は人間王の信頼《しんらい》を失いかねない。それを繋《つな》ぎとめ、そのうえで、ぎりぎりまで力を尽くしたい。そのために王城の門を潜《くぐ》る必要がある」

「わしは、王城の門を開く鍵《かぎ》がわりか」

「鍵には違いない。おまえは王に意見することも、王のために走ることも辞めたからこそ引退した。だが王の臣下であることには変わりなく、王が国を治めることを望む気持ちは変わらない。違うか？」

「当然のことだ」

「ならば俺を、今夜のうちに王城へ入れて人間王と対面させろ。明日の朝になれば、国を治める王の意思すら操《あやつ》ろうとする者が、王の意思決定の邪魔《じゃま》をするぞ」

その言葉に、ダウニング伯爵は眉《まゆ》をひそめる。

「コレット公爵か……」

その男の存在こそが、シャルが、ダウニング伯爵に掛《か》けあってみる価値があると思った根拠《こんきょ》だ。

ダウニング伯爵とコレット公爵。

双方《そうほう》はともに王国の安定を願い力を尽くそうとしているが、決定的に違っているのが、国王に対する態度だ。

ダウニング伯爵はエドモンド二世を王として仰《あお》ぎ、それに従おうとする意志がある。そしてそれこそが家臣であると信じていることがうかがえる。

だがコレット公爵は違う。国が安定するのであれば、国王の存在など、見栄《みば》えの良い飾《かざ》りであれば充分《じゅうぶん》だとでも思っているかのように、国王の意志を尊重して従う気配はない。

コレット公爵はダウニング伯爵のような、古風な忠臣は目障《めざわ》りに感じるだろう。また、ダウニング伯爵は、コレット公爵のように王をないがしろにする臣下の存在が、苦々しいはずだ。

その軋轢《あつれき》が存在しているのだとすれば、シャルの願いは聞き入れられる可能性がある。

「あの宰相《さいしょう》は、王国の安定をはかる賢臣《けんしん》かもしれない。だが奴《やつ》は、国王の意志を尊重する気はない。その証拠《しょうこ》に、人間王が最初の銀砂糖のことを俺に託《たく》したにもかかわらず、奴は人間王の意志を無視し、秘密裏《ひみつり》に兵を派遣《はけん》し、最初の銀砂糖を奪《うば》おうとした。それは俺たち妖精を抑《おさ》えこみ人間の支配する王国を保つためには、賢《かしこ》いやり方だったのかもしれない。だが人間王の意志を無視して王国の安定が保たれ続けるとき、それは人間王の王国ではなく、一人の臣によって操られている王国だ」

シャルは老臣の目を見つめ続ける。

「それを望むならば、そのままでいい。しかしそれならばいっそ、人間は人間王を廃《はい》し、宰相を支配者に据《す》えろ。そうすれば俺は、人間王ではなく宰相と話をする。奴の出方によって俺のやり方も変わる」

人間王の周囲や組織がどうであろうが、結局、妖精《ようせい》であるシャルには他人事《ひとごと》だ。だが人間という種族と交渉《こうしょう》するときに、その種族をまとめあげている者と話をする必要があるのだ。

ハイランド王国はエドモンド二世を王として戴《いただ》き、支配統治されている。だから彼と交渉をしたのだが、実質的に宰相が支配者であるならば、シャルの交渉の方法も変わってくるのだ。

「無礼であるぞ、妖精王。ハイランド王国の支配者は、名目上も実際も、国王エドモンド二世陛下。それは揺《ゆ》るぎない」

ゆっくりとダウニング伯爵は立ちあがり、シャルと真っ正面から対峙《たいじ》する。

「ならば王の意思決定に横やりを入れる宰相が眠《ねむ》っているうちに、俺を王城に入れろ。エドモンド二世が王だというのなら、王として向き合わせろ」

静かに命じた。

命令されることに、ダウニング伯爵は一瞬《いっしゅん》だけ不愉快《ふゆかい》そうな表情を見せ、

「そなたは……」

と口を開きかけた。だがそれを許すまいと、シャルは威厳《いげん》を持って命じた。

「俺は五百年前の妖精王から、王であれと可能性を託された者だ。おまえたちの王と向き合うことは、可能なはずだ。おまえたちの王は、誰《だれ》だ。王たる者に、対面を要求する」

静かに立つシャルに何を感じ取ったのか、ふと瞳《ひとみ》が揺らいで不快な色が消える。目の前にいる妖精が何者なのか、ゆっくりと、今更《いまさら》ながら悟《さと》ったかのようだった。

「望みは、陛下との対面だな？」

「そうだ」

「よかろう」

ダウニング伯爵《はくしゃく》は頷いた。

「ただし、エドモンド二世陛下とともに、マルグリット王妃《おうひ》様が同席することを承知しろ」

「王妃？」

「国王陛下のために知恵《ちえ》を働かせるのは、宰相だけではない」

最後の銀砂糖妖精ルルが友人だと口にした、落ち着いた緑の瞳が美しい女性の姿を思い出す。

確かに彼女であれば、国王の意志を無視することもないだろうが、同時に、王の意志が間違《まちが》っているると判じたならば、臆《おく》せず王自身に忠告するだろう。

切れ者過ぎるがゆえに王の意志をなおざりにする宰相よりは、王にとって、真の良き助言者かもしれない。

「かまわない。人間王の意志さえ、歪《ゆが》められなければ」

「よいだろう」

ダウニング伯爵はさっとシャルの横をすり抜《ぬ》け、足早に出入り口に向かい扉《とびら》を開いた。そして、

「外出する！　馬車を支度《したく》せよ。行く先は王城。先触《さきぶ》れを走らせよ！」

声を張った。

クロウ城のあちこちに明かりが灯《とも》り、にわかに騒《さわ》がしくなった。深夜、主人の突然《とつぜん》の命令に家臣たちは大わらわの様子だった。

いったん腹を括《くく》ったダウニング伯爵は、てきぱきと命令を下し準備を整えた。

馬車が準備されると、シャルはダウニング伯爵とともにそこに乗りこんだ。

ダウニング伯爵は、シャルに対して一言も口をきかなかった。むっつりと黙《だま》り込み、目を閉じて姿勢良く座っている。彼にしてみれば、よもや妖精王と同じ馬車に乗って彼の要求のままに王城に向かおうとしているなど、現実とは信じられないことだろう。

だが彼はエドモンド二世を国王におしあげ、そして彼を王として敬うがゆえに、こうせずにはいられないのだ。

コレット公爵が国王に対して差し出がましい口をきき、そして国王の意志をないがしろにするのを、この老臣が快く思っているはずはない。だからシャルはダウニング伯爵の説得に、最短で王城へ入る望みをかけたのだ。

しかし馬車は王城の門前でしばらく足止めを食《く》らった。宰相から、深夜の開門は何者に対してもおこなってはならないと、厳命が下っていたらしい。

それを聞くなりダウニング伯爵は肩を怒《いか》らせて、武人らしい迫力《はくりょく》で馬車を降りた。そして門番小屋に自ら踏《ふ》みこみ、門番兵の隊長を呼び出した。そして隊長自らを城内へ走らせた。

刻々と、時間が過ぎる。

シャルはカーテンを降ろした馬車の窓に顔を寄せ、カーテンの隙間《すきま》から外の様子をうかがっていた。ダウニング伯爵が苛立《いらだ》ち、自らの怒りをなだめるのに苦労している様子を眺《なが》めながらも、過ぎゆく時間に焦《あせ》りを感じていた。

窓から王城の尖塔《せんとう》を見あげると、空は薄紫《うすむらさき》の明るさを帯びはじめていた。

──朝が来る。

小鳥が尖塔の向こう側を横切り、一斉《いっせい》に飛び立つ様を見て舌打ちした。

すこしでも空が明るさを帯びると、夜の暗さに飛べなかった鳥は飛び立ってしまう。ビルセス山脈から飛んでくる鳥がいるとするならば、夜明けとともにコレット公爵《こうしゃく》の屋敷《やしき》に滑《すべ》り込んでしまうかもしれない。

その時、馬車の扉が開いた。

「大門は開かん」

ダウニング伯爵が、なんとも忌々《いまいま》しげな表情をしてこちらを見あげていた。

「大門を開くことはならんそうだ。だが、徒歩で、兵たちの通用門からならば、通れるらしい。そなたは、そんな屈辱《くつじょく》を甘んじて受けるか」

「屈辱？」

シャルはにやりと笑った。

「おまえがいなければ、俺は王城に忍《しの》び込むしかなかった。それにくらべれば、立派な道だ」

「忍び込むと？」

とんでもない発言に目を見開いたダウニング伯爵だったが、すぐに苦い顔をした。

「そのようなことはならぬ、絶対にな。妖精王であろうとも、いや、王だからこそ」

「承知してる。だからおまえを頼《たよ》った」

立ちあがり、ひらりと馬車を降りたシャルを見つめ、ダウニング伯爵は苦い表情のままだったが、目にはすこしだけ苦笑《くしょう》めいた色がある。

「案内しよう。わしは、それだけの役目しか引き受けられん、隠居《いんきょ》だ」

「頼《たの》む」

素直《すなお》に言うと、ダウニング伯爵はすぐに身をひるがえし通用門へ足早に向かった。シャルは彼の後を追いながら、今一度空に目をやった。まだ夜明け前。


東の空が薄紫の明るさを帯び始めると、一羽《わ》の鳥が、羽を休めていた大木の枝から飛び立った。まだ太陽は昇《のぼ》らず周囲は薄暗《うすぐら》かったが、朝の先触れのように空に広がってくる仄《ほの》かな明るさを頼りに、鳥は空を滑空《かっくう》した。

鳥は本能に導かれ、自らの巣へと急いでいる。

遠く見知らぬ山中で放たれてしまったが、体内にある方位磁石は、正確に自分の巣の方向を指していたので迷うことはなかった。いったんは夜の闇《やみ》に邪魔《じゃま》されて羽を休めたが、すこしの明るさを空に感じると、本能は早く早くと、己《おのれ》の帰巣《きそう》を促《うなが》す。

川を横切り、巨大《きょだい》な城を中心として発展した街に辿《たど》り着くと、鳥は大きく羽ばたいて、地上へ向かうために高度を下げた。風を利用して滑り下りながら、羽ばたいて速度を落とすように調整し、自らの巣へ舞《ま》い降りた。

ようやくその鳥が辿り着いた巣は、ルイストンの北側に位置する屋敷の中にあった。

広い中庭をロの字形に囲う三階建ての建物は、建物そのものが堅牢《けんろう》な塀《へい》であるかのように、無骨な造りだ。衛士《えじ》の詰《つ》め所と間違われかねない建物だったが、それぞれの窓には織りの美しいカーテンが掛《か》けられていることで、かろうじて貴族の邸宅《ていたく》とわかる。

その建物に囲まれた中庭には、人の背丈《せたけ》ほどもある煉瓦《れんが》造りの鳥小屋が設置されていた。

下部の格子《こうし》の中では、鳥たちが羽を寄せ合って止まり木に止まって目を閉じている。

上部には小さな窓がいくつか開かれており、飛んできた鳥はその窓の一つに入り込むと安心したように座りこんで、胸を膨《ふく》らませて小さく鳴き始めた。

その声を聞きつけたらしく、一人の男が中庭に出てきた。彼は小窓の中に座りこむ鳥を見つけると、小さく口笛を吹《ふ》きながら鳥をあやしつつ手を伸《の》ばし、鳥を両手でそっと掴《つか》み出した。

鳥の足には、小さな鋼色の筒《つつ》が取り付けられており、折りたたまれて丸められた紙片《しへん》が押しこまれていた。

男は鋼色の筒を鳥の足から外すと、鳥を下部の小屋の中に入れ、筒を手にして屋敷の中に入った。扉を入りざま、男は中にいる者に向けて声をかけた。

「連絡《れんらく》が来た。北に向かった隊からの知らせだと、コレット公爵に渡《わた》してくれ」

男の声と姿を呑《の》みこむようにして、扉が閉まった。

しらみはじめたばかりの、まだ薄暗さの残る朝の中庭に、鳥のくぐもった声だけが規則的に続いていた。


そしてその鳥の帰巣と間を置かずして、別のもう一羽の鳥がルイストンの上空に姿を現した。

その鳥は、王城の塔《とう》の内部に設けられた巣に舞い降りた。すると、朝の餌《えさ》やりの準備をしていた世話役の兵士が、脇《わき》に抱《かか》えていた餌箱を床《ゆか》に置き、すぐにその鳥を抱《だ》いた。

「何処《どこ》かから連絡が来る予定は、聞いてないけれどな」

不審《ふしん》げに独りごちながら、兵士は、鳥の足にくくりつけられた鋼色の筒に手を伸ばした。筒に刻まれたギルム州公の紋章《もんしょう》を確認《かくにん》すると、おやっというように首を傾《かし》げながらも、筒を鳥の足から取り外し、鳥を小屋の中へ入れた。それから、筒の中に納められている手紙を取り出した。

薄暗い中で目をこらし、ざっと手紙の内容を確認した兵士の表情がみるみる青ざめた。

彼は床に置いていた鳥の餌箱を蹴飛《けと》ばしてしまい、餌が石床の上へぶちまけられた。しかしそれに構っている暇《ひま》はないとばかりに、鳥小屋に背を向け、細い石の螺旋《らせん》階段を駆《か》け下りはじめた。そして、焦ったように声をあげる。

「おい！　おいっ！　ギルム州公から、大変な知らせだ！　ノーザンブローで！」

六章　泣いていても、いいから

　ランタンの明かりを頼りに、アンは作業台に向かって銀砂糖を練り続けていた。

　作業を始めるまでは、手元の暗さに苦労するかもしれないと危《あや》ぶんでいたが、そんなことはなかった。方々に置かれたランタンの明かりは、周囲に張り巡《めぐ》らされた白い布に反射して光を広げ、王城前広場全体がぼんやりと明るかったのだ。

「冷水が、ぬるいな！」

　アンが冷水に手を伸ばそうとすると、アンの助手として、せっせと道具類を整えていたミスリルが、ぱっと冷水の器《うつわ》を抱える。

「あ、うん。お願い。助かる」

　その言葉に、ミスリルはにかっと笑った。

「待ってろ。すぐに換《か》えてくるからな」

　お世辞でもなんでもなく、ミスリルが作業を手伝ってくれると、段取りよくすすめられる。こちらが言わなくても、なんでも先回りして用意してくれるので、意外なほど作業にストレスがない。

しかもシャルが側《そば》にいない。彼の身を案じるあまりに揺《ゆ》れて乱れそうな心を、ミスリルがそこにいてくれることで支えられた。

器を抱えてひょいっと作業台を飛び降りるミスリルを見送ると、アンは息をついて周囲を見回す。

広場の最も北側で作業を開始したアンとは違《ちが》い、キャットは広場の要所要所ごとに職人たちを割《わ》り振《ふ》り、両隣《りょうどなり》の職人同士が、それぞれ作る形や色味に大きなずれを作らないようにと、細かな指示を出していた。

ジョンソンやステラたちも、広場の各場所に散らばり、作業を担当することになっていた。彼等の姿が、あちらこちらと、遠くに見える。

ステラも、ジョンソンら銀砂糖師も、それぞれに広範囲《こうはんい》の作業を振り分けられていたので、とうてい一人でできる作業ではない。手伝いが必要ならば、それぞれの派閥《はばつ》から見繕《みつくろ》うか、もしくは、ホリーリーフ城の妖精《ようせい》たちを仕切っているキース・パウエルに相談して、妖精たちをこちらの仕事に回してくれるように頼《たの》むことになったらしい。

アンが任された仕事は、アンが自分で「できる」と申告《しんこく》したとおり、たった一つの造形だ。

それは等身大の大きさがあるとは言え、他《ほか》の職人たちに比べれば格段に作業量は少ない。申し訳ない気もするが、今の自分は、様々なことに目を配り、器用に仕事を片付けられるほどには自信がない。

「すすめてるのかよ、チンチクリン」

冷水の到着《とうちゃく》を待っていると、ようやく職人たちへの指示を終えたらしいキャットが、作業台に近づいてきた。彼は今までアンが練り上げていた銀砂糖の塊《かたまり》を、目をすがめて見おろす。

「今、土台を作っています」

答えていると、ミスリルが冷水を満たした器を抱え、作業台に戻《もど》ってきた。それをちらっと横目で見ると、キャットは顎《あご》をしゃくった。

「練ってみな。俺の前で」

「はい」

彼の厳しい雰囲気《ふんいき》から、試《ため》されているのだと察せられた。

アンは技術を失って、まともに銀砂糖すら練れなくなった状態をキャットにさらしていたのだ。その彼が、アンの状態を確認したがるのはもっともだろう。

この大きな砂糖菓子《がし》の要《かなめ》となる箇所《かしょ》がみっともないできばえになってしまえば、目も当てられない。ひとつアンは頷《うなず》くと、樽《たる》から新しい銀砂糖をくみあげて作業台の上に広げた。

軽く目を閉じた後、再び目を開くと、軽く何度か瞬《まばた》きをして、瞬きを心の中で数える準備をする。掌《てのひら》を閉じて開き、指の動きを確認する。

――瞬きの数。指の位置。

ふっと息をつくと、銀砂糖を指で掻《か》き回《まわ》す。冷水を加え、一気に混ぜる。瞬きの数を冷静に数えつつも、素早《すばや》く、指の位置を意識しながら手を動かす。指の関節が一つ分、長くなったような鋭敏《えいびん》な感覚が、銀砂糖の感触《かんしょく》の変化をアンに知らせる。だがそれに引きずられないように、丹念《たんねん》に瞬きの数を追い、最適な瞬間《しゅんかん》に、指で掻き回していたものを、掌で押しこむような動きに変える。

キャットが腕組《うでぐ》みをして、じっとそれを見おろしている。

掌でおしこむようにすると、瞬く間に銀砂糖の艶《つや》が増した。

「早いな」

これで練り上がったと感じたのとほぼ同時に、キャットが呟《つぶや》いた。顔をあげると、キャットが感心したようにアンの指をしげしげと見つめている。

「まえよりも練りが早い。動きに余分なものがねぇ。いい手だ。てめぇの以前の手じゃねぇな、その動き。どちらかと言えば、エリオットの野郎《やろう》の動きに似てるが、あいつよりも動きに無駄《むだ》がねぇ」

「コリンズさんと一緒《いっしょ》に、修業《しゅぎょう》をし直したんです。技術がぶれないように、指の動きや時間を意識して」

ふんとキャットは鼻を鳴らすと、シャツの袖《そで》をまくりはじめた。

「いいんじゃねぇか。悪くねぇ。その手で作るっていうなら、作れるんだろうぜ。ただ途中《とちゅう》でやめはなしだぞ。作り直す時間なんかねぇからな、てめぇがやるってんなら、最後までやるんだ。しかもみっともないものは作るんじゃねぇ」

鋭《するど》い猫目《ねこめ》で睨《ね》めつけながら、キャットは続けた。

「俺の作るものと対《つい》にする砂糖菓子だ。手を抜《ぬ》くんじゃねぇぞ」

「はい」

しっかり頷くと、キャットは銀砂糖の樽に手を伸《の》ばしながら訊《き》く。

「で、てめぇはそっちの妖精王、色調はどうする？　淡《あわ》くいくのか、はっきりとした色でいくか」

ざっと周囲を見回し、アンは確かめた。

「ヒューの描《えが》いた構想の中では……色調は、ほとんど色のないところから淡い色が出現して、それから徐々《じょじょ》に濃《こ》い色に変わってましたよね？　全体的な色調は、ヒューの指示したとおりですか？」

「そうだ。だがあれは、濃くなったところでまた薄《うす》くなり、また濃くなる。呼吸みてぇに繰《く》り返す」

――呼吸。そうか、色調にも意味がある。

今一度周囲の砂糖菓子を見回し、作業台に置かれたスケッチを見おろし、確信を持ってアンは答えた。

「はっきりとした色がふさわしいと思います。キャットが言うように、色の濃淡《のうたん》もまた、計算に入れられている呼吸なのだとしたら、鮮明《せんめい》にするべきです」

「賛成だ」

銀砂糖を作業台の上に広げ、キャットは冷水に手を伸ばす。

「妖精王の色は？　何を基調にする」

「黒です」

迷いはなかった。キャットは頷く。

「そっちが黒なら、こっちは対になる色がいい。白か、赤……。赤は伝説の妖精王を連想させかねねぇからな、となると、白だ」

確信したように言い切ると、彼もまた練りに取りかかった。

アンは練り上がった銀砂糖を、砂糖菓子を設置する台に移した。それをまず土台にするために、成形する。

シャルは今どうしているのか。彼は無事に国王陛下と対面できたのか。そして国王に事情を理解してもらえたのか。

様々な心配事が胸の中には渦巻《うずま》いていたが、銀砂糖に触《ふ》れていると、まるで本能が目覚めるように、体の芯《しん》から嬉《うれ》しさがこみあげる。

――この街中に出現する、砂糖菓子の形。色。

それを想像すると、胸が高鳴る。

ルイストンの街中に出現する砂糖菓子の群れは、いったいどんな景色を人々に見せるのだろうか。

新聖祭の夜、国教会の教会の周囲には、たくさんの砂糖菓子が並べられて人の目を楽しませる。それぞれが好き勝手に持ち寄った砂糖菓子には統一性がなく、並べられかたもおざなりだ。それでも砂糖菓子の群れが雪明かりの中に並ぶ姿は、なんとも言えず神々《こうごう》しくて、美しい。室内から出された砂糖菓子は、自然の光を受けることによって、輝《かがや》きを変えて雰囲気を変えるのだ。

――この砂糖菓子は、秩序《ちつじょ》があり意味があり、作られる形。そして国教会の周囲に並べられる砂糖菓子の数百倍の規模で、街の中に出現する。

それは誰《だれ》も見たことのない光景だろう。それを作り出す仕事に自分の指が役立つことに、興奮する。

不安にばかり俯《うつむ》いていた心は、植物が常に光を探し求めて、そちらに伸びようとするかのように光を求めて伸び上がろうとしている。

あと六日で、この砂糖菓子を完成させなくてはならない。

六日後出現する景色が、大きな幸福を招くだろうと信じながら作業を続けていた。

気がつくと、テントの外がぼんやりとした明るさになっていた。

朝が来る。

ダウニング伯爵《はくしゃく》に先導され、シャルは王城の中を抜けた。

東の空は、ぼんやりとした明るさを帯びているとはいえ、まだ日は昇《のぼ》らない。

しかし下働きや侍《じ》女《じょ》たちは既《すで》に起き出して仕事を始めているらしく、所々、天守とは遠い場所ほど明かりが灯《とも》り、人の気配が動いていた。

第四の天守に入る。

壁《かべ》に据《す》え付けられているランタンの火は小さく絞《しぼ》られ、炎《ほのお》は揺《ゆ》らいで安定せず、芯の焦《こ》げた匂《にお》いが強い。まだ夜の静寂《せいじゃく》を引きずっている。各階段の登り口には衛《え》士《じ》が立ち、国王の眠《ねむ》りを厳重に守っていたが、ダウニング伯爵の顔を見ると、彼等は無言で二人を通した。

そして辿《たど》り着いたのは、見覚えのある扉《とびら》の前だった。王の執務《しつむ》室だ。扉の隙間《すきま》からは、暗い廊下《ろうか》に明かりが細く漏《も》れおり、中で人の動く気配がした。

ダウニング伯爵は扉の前で背筋を伸ばし、ざっと己《おのれ》の身なりを確認《かくにん》してから、静かに扉をノックした。

「このような時間に、申し訳ございませぬ陛下。ダウニングでございます」

「入れ」

聞き覚えのあるエドモンド二世の声が答えたが、その声にはわずかな緊張感《きんちょうかん》がある。

ダウニング伯爵は扉を開くと、その場で深く一礼した。

「隠居《いんきょ》のわがままをお聞き入れ頂き、ありがとうございます陛下。取り次ぎに申しましたとおり、妖精《ようせい》王が目通りを願って参上しております」

「かまわぬ。通せ、ダウニング」

「では。お目通り願います。わたしはこれにて、おいとまをいたしましょう。隠居はこれ以上、出過ぎた真似《まね》をせぬほうがよろしいと思いますので」

「しかし、ダウニング」

戸惑《とまど》ったように呼び止めようとした声に、ダウニング伯爵は一礼を返す。

「陛下ご自身のご判断、ご意志を、大切になさってください」

それからシャルをふり返り、入れというように目顔で示した。シャルは頷《うなず》き、

「礼を言う」

と告げた。するとダウニング伯爵は、顔をしかめた。

「わしは陛下ご自身のご判断ができる機会を、失いたくなかったのみ」

と、怒《おこ》ったように言って背を向ける。

昔気質《むかしかたぎ》のダウニング伯爵にしてみれば、おそらくエドモンド二世がシャルと交《か》わそうとしている誓約《せいやく》は、心から歓迎《かんげい》したい種類のものではないだろう。老人は変化を嫌《きら》うものだ。

だが苦々しく思いながらも、それが国王の意志であるならば従おうと決意し、そしてその国王の意志をねじ曲げようとするものに憤《いきどお》りを感じている。それ故《ゆえ》の行動だ。シャルが礼を言うことすら、彼にとっては苛立《いらだ》たしいかもしれない。

——しかし、感謝はする。

ダウニング伯爵の存在がなければ、真っ当な方法でこの場に辿り着けなかったのだから。彼の歩み去る靴音《くつおと》を背に聞きながら、シャルは執務室の扉を潜《くぐ》った。

部屋の中は明るかった。

壁《かべ》に取り付けられたランタンには全《すべ》て明かりが灯り、円卓《えんたく》の中央や執務机のうえにも、大型のランタンの火が灯っている。最奥、正面にある大きな掃《は》き出し窓《まど》のカーテンは開けられ、暗い夜空の向こう、東の空がほんのりと明るい紫《むらさき》に変わりつつあることが見て取れた。

執務机に、ガウンを羽織ったエドモンド二世が座っていた。困惑《こんわく》したような、怪《あや》しむような表情で両手を組み、入ってきたシャルを見据《みす》えている。

そしてその背後には、きっちりとした襟《えり》の高いドレスを身に纏《まと》ったマルグリット王妃《おうひ》の姿があった。しかし彼女も急いで身繕《みづくろ》いしたらしく、いつもは一分の隙《すき》もなくまとめられている髪《かみ》が、今はゆるく束ねられているだけだった。

「この時間に、対面を許してもらえたことを感謝する」

執務机の正面、数歩のところまで近づいて言うと、エドモンド二世の薄青《うすあお》い瞳《ひとみ》がさらに曇《くも》る。

「その様子からすると、最初の銀砂糖を持ち帰ったわけではないな？　妖精王。なのになぜ、余との面会を望んだ。ダウニングからは妖精王が火急の用件で対面を望んでいるとしか、聞いていない。しかもダウニングは、この対面にマルグリットを同席させるべきだと助言を添《そ》えてきた。なにがあった？」

エドモンド二世の背後に立つマルグリット王妃の瞳は、シャルの言葉の真偽《しんぎ》を見抜《みぬ》こうとするかのように、こちらに注がれていた。

「最初の砂糖林檎《りんご》の木を見つけ、最初の銀砂糖をいったん手に入れた」

その言葉に、エドモンド二世とマルグリット王妃、二人ながらに顔を見合わせた。

「本当に、あったのですね」

確認するマルグリットの言葉に、シャルは頷く。

「たった一握《ひとにぎ》りしか存在しなかったが、確かにあった。しかもそれは千年に一度しか、最初の銀砂糖としての力を持てないそうだ。それが奪《うば》われた」

「奪われた？　何者に」

思わずのように椅子《いす》から腰《こし》を浮《う》かし、急《せ》き込んで訊《き》いたエドモンド二世を刺激《しげき》しないように、なるべく静かな口調で答えた。

「エリル・フェン・エリル。妖精王の一人に、奪われた」

「なぜその妖精王は、そのような真似を？　人間には渡《わた》せないと？」

冷静に鋭《するど》く問いかけるマルグリットに、シャルは軽く首を振《ふ》る。

「エリルはこの世に生を受け、一年足らず。幼過ぎるゆえに混乱して、その場のなりゆきで最初の銀砂糖を奪って逃《に》げたにすぎない。彼を見つけられさえすれば、銀砂糖を渡すようにと説得することも可能だ。それよりも問題なのが、もう一人の妖精王、ラファル・フェン・ラファル」

彼の名を口にするだけで、苦いものがこみあげた。

「奴《やつ》はけして人間と相容《あいい》れない。俺が奴を滅《ほろ》ぼすしかない。奴は、コレットの兵を一人殺して逃げた」

「コレット？　なぜコレットの兵が？」

エドモンド二世が不審《ふしん》げに眉根《まゆね》を寄せる。

「なんらかの情報を得て、俺の行き先の見当をつけ網《あみ》を張ったらしい。最初の砂糖林檎の木がある場所の近くに現れた。おそらく俺たちよりも先に最初の銀砂糖を手に入れようとしたのだろうが、そこには俺以外にも、エリルとラファルがいた。思い通りにはいかなかったらしい」

「コレットがそのようなことを？　余は聞いておらん。なんという勝手なことを！　コレットにはそれなりの処罰《しょばつ》が必要かもしれぬ」

宰相《さいしょう》の勝手なおこないに、憤然《ふんぜん》と呟《つぶや》いたエドモンド二世の肩《かた》に、マルグリットが手を置く。

「しかし陛下。コレットを罰《ばっ》して、新たに宰相となるべき者を選ぶのに、また、どれほど混乱が生じるでしょうか、冷静にお考えください。勝手な振る舞《ま》いが目立ちはしても、彼が宰相となってからの国政の安定は、評価されるべきもの。しかも……」

不思議そうに顔を見あげてきた国王に頷いてみせると、マルグリットはさらに続けた。

「しかも、妖精王のご報告を聞く限りは、コレットのおこないは責められるべきどころか、褒《ほ》めてやるべきかもしれません」

マルグリットは、ひたとシャルに視線を据《す》えた。

「そうでございましょう？　妖精王。あなた様は仰《おつしや》いました。最初の銀砂糖は奪われ、人間と相容れない妖精王は逃げたと。そんな状況《じようきよう》であったならば、あなた様が成し遂《と》げると約束されたことは、まったくなにも成し遂げられなかったということ。それを見越《みこ》し、せめて自力でなんとかするべきだと判断して兵を遣《つか》わしたのであれば、コレットのおこないは先を読んだがゆえの的確な行動と言えます」

微笑《ほほえ》んではいるが、マルグリットの瞳には紛《まぎ》れもない怒《いか》りがある。約束したことをなにも成し遂げずに姿を現したシャルの不手際《ふてぎわ》を、暗になじっているらしい。

最後の銀砂糖妖精、ルルの友人だという彼女は、シャルが果たすべきことがルルの望みでもあると知っている。だからこそ怒っているのだろう。

しかしなじられても当然の結果なのだ。そのことについては、甘んじて受けるつもりだ。

「未《いま》だに、約束したことを果たせていないのは認める。だが、猶予《ゆうよ》はまだ数日残っている。その間に俺は力を尽《つ》くす。だから人間王、そちらも期限までは待って欲しい。それを願うためだけに来た。何が起こっていようとも、何が起ころうとも、俺は約束を違《たが》える気はない」

「しかし妖精王の一人は、王国の兵を殺した……」

呟いたエドモンド二世の言葉に、シャルは眉《まゆ》をひそめる。

「それは間違《まちが》いない。だが兵を殺した妖精王は、俺の手で滅ぼすと約束する。罪は命をもって償《つぐな》わせる。だから信じて、待って欲しい」

不安げなエドモンド二世の瞳と、わずかに怒りながらも冷静にこちらを見つめるマルグリットの瞳に、シャルは語りかける。

「期限まで、あと数日だ。待って欲しい」

その時だった。

「陛下！　陛下！」

執務《しつむ》室の扉《とびら》の外で、慌《あわ》てふためいたような兵士の声が呼んだ。

「申し訳ありません、陛下！　火急の知らせが！」

エドモンド二世は不審げな顔をしたが、そこにシャルがいることをおもんぱかってか、

「何事だ。客人がいるゆえに、入室はならぬ。そこで申せ」

と、命じた。「はっ」と扉の向こう側から答えが返り、呼吸を整える気配がして、再び声が響《ひび》く。

「ギルム州公タッソー伯爵《はくしゃく》より連絡《れんらく》です。昨日、州都ノーザンブローにおいて妖精《ようせい》商人、妖精狩人《かりゅうど》が襲《おそ》われ、十人以上が斬《き》り殺され、妖精たちを奪われた模様です。生き残った者が言うには、彼等を襲ったのは妖精の一味で、頭目らしき妖精は妖精王であると名乗ったと!」

拳《こぶし》を握《にぎ》り、シャルは歯がみした。

——ラファルか。

その報告に、マルグリットは片手で口元を覆《おお》い、エドモンド二世は低く呻《うめ》く。

「如何《いかが》いたしましょうか、陛下」

扉の向こうから問われると、エドモンド二世は顔を歪《ゆが》めたままシャルを見やり、そしてゆっくりと首を振った。その仕草の意味を漠然《ばくぜん》と理解し、シャルは目を閉じた。

「至急、……宰相を呼べ。宰相とはかり、将軍と協議し、対応を決める」

苦しげに命じたエドモンド二世の声に反応し、扉の向こうの気配が再び駆《か》け出す。

「妖精王」

エドモンド二世は机の向こう側から歩み出てくると、シャルの正面に立った。

「妖精王と名乗る妖精が、人間を傷つけた。このようなことが起こってしまえば、民《たみ》に妖精王の存在を伏《ふ》せることは叶《かな》わぬだろう。妖精王の出現を民が知れば、民は五百年前の妖精王とセドリック祖王との戦いを想起し、不安になり、怯《おび》える。その妖精王が民を傷つけたとなれば、なおさら民は怯える。王である余に助けを求める。王として、それに対処しなくてはならない」

「待てないということか……」

絶望感が胸の中に広がりそうになったが、わずかに耳に残る声が、膝《ひざ》を折りそうになるシャルの気持ちを支えた。「嘘《うそ》つきにならないで」と告げた恋人《こいびと》の言葉が、シャルにあきらめを許さない。

──可能性は、あるか？

自らに問いかける。

──ないはずは、ない。どこかに光はある。

シャルは目を開き、エドモンド二世を見つめた。

「俺はコレットの兵に対して妖精王と名乗った。兵の口から、複数の妖精王の存在は広がり、民の知るところになるだろう。妖精王討伐《とうばつ》をするならば、いずれ俺も討伐するのだろう」

「それは……」

言い淀《よど》む国王の背後から、冷静なマルグリットの声が答えた。

「そうなることでしょう。陛下が望まずとも、妖精王の存在に怯えた民は、また別の妖精王が存在すると知れば、必ず討伐を望みます。民の心を安らげ、国を安定の中に保つためには、そうなるのが当然の流れ。もしコレットがこの場にいたならば、彼は今、あなた様の捕縛《ほばく》を提案するに違《ちが》いありません。今も、後々も、同じことならば今手を打っておこうと」

突《つ》き放すような言葉に、

「それが流れであるなら、当然だ。好きにするがいい」

できるだけ静かに、シャルは言った。

その答えに、エドモンド二世も、シャルに対して冷淡《れいたん》な表情を見せていたマルグリットも、二人ながら、目に驚《おどろ》きの色が浮《う》かぶ。

「どういう意味だ、妖精王」

「人間王。おまえが妖精王を討《う》つというなら、討て。俺を追ってもかまわない。俺の羽も、持っていればいい。それを引き裂《さ》きたいなら、引き裂け」

マルグリットは、思わずのように問う。

「なにを仰っておいでなのですか？　あなた様は、己《おのれ》を討ってもかまわないと？　己の命と等しい羽も、陛下に持っていろと？」

「人間が何を企《くわだ》てようと、俺は約束の期限までは、人間王との誓約《せいやく》をなすために力を尽くす。それが王として約束した者の、誠意だ」

なにもかも状況が悪化し、誓約を交《か》わそうとする相手の判断はあやふやに流れかねない。だからといって、己が変節してしまっては全《すべ》てが狂《くる》っていく。

そうならないために、約束は違えるべきではない。

相手が変節しても、自分は変わるべきではない。

「もし俺の覚悟《かくご》にすこしでも報《むく》いる気があるならば、人間王。今年の砂糖林檎《りんご》を銀砂糖に精製できる可能性がある数日。その数日間だけでいい。その誓約を記した石板は、砕《くだ》かずにいて欲しい」

指さした先には円卓《えんたく》があり、その中央には布をかけられた石のレリーフがある。

「あなた様は……」

マルグリットは、目の前にいる者が何者か、はじめて気がついたように呟《つぶや》く。

「あなた様は……真実、王なのですね」

窓の外、夜の闇《やみ》はみるみる追い散らされ、空は薄紫《うすむらさき》の夜明けに染まっていた。それを背景に静かに佇《たたず》むシャルを呆然《ぼうぜん》と見つめていたマルグリット王妃《おうひ》が、突然《とつぜん》はっとして出入り口の方向へ視線を向けた。

複数の足音と、鎖帷子《くさりかたびら》が擦《こす》れる硬質《こうしつ》な音が絡《から》まって、廊下《ろうか》を駆けてくる。その音は、シャルにとって歓迎《かんげい》できない連中がこちらに向かっているらしい物騒《ぶっそう》さをはらんでいる。

――コレットか!?

咄嗟《とっさ》に身構えた。

窓からは、ルイストンの遥か東の山並みから、朝日が顔を出しているのが見える。ちょうど王城の門が開かれる時間だ。

ギルム州からの報告を受けて、エドモンド二世がコレット公爵《こうしゃく》を呼び出すまでもなかったはずだ。コレット公爵の派遣《はけん》した兵士から、妖精王が兵士を殺したと報告がもたらされたとするならば、あの陰険《いんけん》な宰相《さいしょう》は、王城の門が開かれるのと同時に、小躍《こおど》りして飛びこんできていたはず。そしてそこで、つい先刻、閉じた城門を無理矢理《むりやり》に通過したダウニング伯爵と、その連れの妖精について、真っ先に報告を受けたに違いない。

——どうする。

ここでコレット公爵に見つかれば、彼はあれこれと理由をつけてシャルを捕《と》らえるに違いない。なにしろシャルは、王国の兵士を殺した妖精王の一味だ。

どうするべきか迷ったシャルに代わり、動いたのは、マルグリットだった。彼女は何を思ったのか、突然扉《とつぜんとびら》に向かって走り扉の鍵《かぎ》を閉めた。鍵が閉まるのと同時に、

「陛下！」

扉の外で、コレット公爵の声が響く。

「妖精王がそこにいましょうか⁉　陛下⁉　妖精王を名乗る妖精が、ギルム州で人間に危害を加えています！　もしそこにそう名乗る妖精の一味がいるのであれば、まず取り押さえなくては！　陛下、扉《とびら》を開けてください！」

捕《つか》まるわけにはいかなかった。あと数日間、シャルは力を尽《つ》くさなくてはならない。

エリルから最初の銀砂糖を取り戻《もど》し、ラファルを滅《ほろ》ぼすのだ。そうしなければならないと強く思うのは、妖精王としての使命感からではない。もし流れがこのまま変わらなければ、シャルは穏《おだ》やかに恋人とともに生きることが不可能になるからだ。砂糖菓子《がし》がこの世から消えてな

くなれば、恋人が生きる意味そのものを見失いかねないからだ。

我ながら勝手な動機だが、今はそれが最も大きな原動力だ。愛《いと》しい者と生きたいと思う、純《じゅん》粋《すい》で強い思い。

逃《に》げ道を探してシャルの視線は部屋の中を彷徨《さまよ》い、窓へ向かう。しかしここは天守の最上階で、とても飛び降りることはできない高さだ。

マルグリットは扉からとって返すと、火の入っていない暖炉《だんろ》の内側に手を突っ込んだ。すると暖炉の奥の壁《かべ》が、ぽかりと真っ暗い口を開いた。

「こちらからお逃げください！　早く。隠《かく》し通路です。王城の外へ抜《ぬ》けられます！」

マルグリットが必死で手招きするので、シャルは驚きつつもそこへ駆け寄った。

「マルグリット!?」

エドモンド二世が咎《とが》めるように声をあげたが、彼女はシャルを背後に庇《かば》うかのように暖炉の前に立ち、両腕《りょううで》を広げた。

「陛下！　陛下は妖精《ようせい》王の羽を握《にぎ》っておられます。命を握られ、討たれる覚悟をしながらも、まだ約束を守ると言った者をこの場で捕縛なされますか!?　陛下のご判断は!?　このお方は陛下と同じく、王です！　王は、王に対してどのような礼を尽くすべきでしょうか!?」

扉は激しく打ち鳴らされ、業《ごう》を煮《に》やしたらしい外の者たちが、

「失礼を、陛下！　陛下の安全のために！」

声を張り上げると、扉が、木の裂ける大きな音を立てた。斧《おの》の刃先《はさき》が、扉の鍵の近くから突き出していた。

「お急ぎください、妖精王！」

マルグリットの声に突き飛ばされるように、シャルは暖炉の中に身をかがめて入る。片膝《かたひざ》をつき、細い背中をふり返る。

「おまえは罪に問われないのか」

「ええ」

背中越《ご》しに、彼女は笑った。

「わたくしは妖精王に脅《おど》され、やむなく隠し通路を開きました。それは陛下が証明してくださいます。わたくしは愛されておりますもの。そうでございましょう、陛下？」

自信たっぷりの言葉に、エドモンド二世が絶句した気配が伝わってくる。シャルは苦笑《くしょう》した。

「礼を言う」

「あなた様のためではなく、わたくしの友人の望みのためにです。礼は必要ありません。ですが、わたくしたちがあなた様と通じ合うのは、ここまでです。わたくしたちは、もはや妖精王討伐《とうばつ》に反対することはしないでしょうし、してはならない立場です。王国の民《たみ》の不安を除き、陛下の治世を安定させるためには、妖精王討伐の準備をするでしょう」

「承知している」

エドモンド二世が呆然と、問うともなしに口にした。

「それでもあなたは、誠意を尽くすと言うのか？」

シャルは含《ふく》みなく、ただすんなりと微笑《ほほえ》んでエドモンド二世を見やる。

「当然だ。人間の王」

臆病《おくびよう》でありながらも、けして卑怯《ひきよう》でも傲慢《ごうまん》でも偏狭《へんきよう》でもなく、どちらかと言えば、王となるには心根の優《やさ》しすぎるきらいがある人間王の薄青《うすあお》い瞳《ひとみ》が、戸惑《とまど》い混乱するように揺《ゆ》れる。妖精王の美しい微笑みに、どう応《こた》えるべきかわからないのだろう。

「さあ、お早く！」

焦《あせ》り促《うなが》すマルグリットの言葉に被《かぶ》さるように、扉がめりめりと嫌《いや》な音を立てて裂け、そこから鋼の手甲《てつこう》をつけた兵士の腕《うで》が入ってきて、内側の鍵に届く。

シャルは人間王とその妃《きさき》に背を向けると、低い姿勢のまま、暗闇《くらやみ》の通路を奥へと向かった。


扉が開き、兵士たちを従えたコレット公爵が踏《ふ》みこんだとき、王の執務《しつむ》室の窓から、朝日が真っ直《す》ぐ射《さ》しこんだ。

「陛下、妖精王は⁉」

コレット公爵が焦り問うと、エドモンド二世とその妃マルグリットは、ぽっかりと開いた暖炉の奥の、隠し通路に目を向けた。そしてエドモンド二世は、淡々《たんたん》と答えた。

「逃げた」

常に冷静なコレット公爵が、このときばかりは怒《いか》りに顔を歪《ゆが》めてエドモンド二世を睨《ね》めつけ、その後、隠し通路の入り口に向かって中を覗《のぞ》きこんだ。そして背後の兵士たちをふり返り、怒《ど》鳴《な》った。

「ここから逃げた者を追いなさい！」

「なりません」

マルグリットが、コレット公爵の命令を即座《そくざ》に否定し、さっと窓の外を指さす。

「追うのであれば、王城の外を追いなさい。この通路は、王城の外のどこかへ続いています」

「何を仰《おつしや》っておいでですか⁉」

怒りと驚きで顔をあげたコレット公爵に、マルグリットは無表情で応えた。

「ここは陛下のための隠し通路。これがどこへ繋《つな》がっているのか、兵たちにすら、知られてはなりません。ここから妖精王を追うことは許しません。そもそも、妖精王を追えというのは誰《だれ》の命令ですか？　陛下はここにおいでです。陛下はそのような命令は、まだ出しておりません」

「まだ、というだけでございましょう。ギルム州からの報告をお聞きになった陛下は、対応策を考えると仰り、わたしを呼ぶように命じられたと伺《うかが》いました。対応策というからには、妖精王に対してなんらかの手段を講じるとの意思表示でございましょう」

「あなたは、切れすぎますねコレット」

マルグリットは、冷たい目で宰相を見つめる。

「あなたは正しいのです。ですがその正しい判断も、陛下のご決断なくして先回りして実行すれば、それは陛下のご命令ではありません。あなたの独断です」

「独断？」

コレット公爵はせせら笑うように言うと、エドモンド二世に向き直った。

「独断と王妃《おうひ》様は仰る。独断？　陛下のご意志を無視しての独断となれば、わたしは罰《ばっ》せられてもおかしくない。わたしを罰することをお考えですか、陛下？」

「そなたが余の意向を無視し、最初の砂糖林檎《りんご》の木を求めて動いたのは、まことか？　そこで妖精王たちと兵が戦ったと」

「わたしが動いたのは、事実です。しかし陛下のご意志を無視したわけではなく、陛下のお望みをかなえる用心のために、監視《かんし》をつけたまでです。静観するだけであった兵たちに牙《きば》を剥《む》いたのは、妖精王たち」

「しかし、余は！」

「陛下は、全《すべ》てを妖精王にお任せすると仰った！　そうです、よく存じ上げています。しかし王国の命運を左右するときに、監視もなく、全てを妖精王に託《たく》せましょうか!?　あの妖精王と陛下は、数えるほどしか会っていない。その真意や、誠実さを、何処《どこ》まで信用して良いのでしょうか!? わたしは王国の宰相《さいしょう》として、そんな危険を冒《おか》せないと判断したからこそ、陛下のご意志の妨《さまた》げにならぬように気をつけながら、監視することに徹《てっ》しようとしていた。それが独断と仰るのならば、陛下は、王国のあらゆる些《さ》細《さい》事全てにおいて、細かな段取りをお決めになる必要があられます」

怒りを秘《ひ》めた迫力《はくりょく》で語った宰相は、しばし息を継《つ》ぎ、すこし冷静になったかのように、声の調子を落とした。

「陛下。わたしの行動は、王国の安寧《あんねい》を思えばこそのものです。突然《とつぜん》現れた妖精王と、長年お側《そば》にお仕えして国の安寧を考えているわたしと、どちらを信ずるにたる者と判断なされますか。わたしは、私利私欲《しよく》で動いているわけではありません。それだけは、お知りおきください」

懇願《こんがん》のようにも思える最後の言葉に、エドモンド二世は胸をつかれたように押し黙《だま》った。

すると、

「知っていますとも。あなたは王国が変わらない姿を保ち続けることを、なによりも望んでいると。私欲のない、公《おおやけ》の者であると。ですがコレット」

声を発したのはマルグリットだった。そこで彼女は薄《うす》く微笑む。

「ここは王国。王の支配する国。王が国の形を変えたいと望めば、臣はその意志に従うのがあるべき形です。ですから国の安定にとっての最善でも、国王の意志を無視する行いを、わたくしは認めません。王の妃として。ですからあなたは問うべきなのです、コレット。あなたが些細事と思っても、陛下にとっては重大事もある。ですからこれからは、全てを問いなさい、コレット。陛下のご意志を問うのです。今、ここでも」

きりっと奥歯を嚙《か》みしめ、コレット公爵《こうしゃく》はエドモンド二世へ視線を向ける。

「陛下。妖精王と名乗る妖精が、ギルム州で妖精商人たちを殺しました。わたしの配下の兵も一人殺されています。その妖精王に対処するために、策を練らねばなりませんが、まずはこの場にいた妖精王を捕《と》らえ、事情を聞き出し、足止めする必要があります。同じ妖精王と名乗る者どもが暴れ狂《くる》っているときに、放置はできません。そうでございましょう」

苛立《いらだ》たしさを嚙み殺すように、伺いを立てる。

おそらくこんなわかりきった単純なことを実行するのに、いちいち国王の許可をとらされるこの状況《じょうきょう》に、はらわたが煮えくりかえっていることだろう。コレットのようなてあいが特に苛立つのは、自分が当然と考える段取りをいちいち中断させられ、無駄《むだ》と思える手順を踏まされることに違《ちが》いない。

しかしマルグリットはそれを承知しているのか、コレット公爵の苦い表情を見ても涼《すず》しい顔をしている。

「そうで……あろうな。しかし誓約《せいやく》を望む妖精《ようせい》王を捕らえてしまったら、最初の銀砂糖が手に入らぬやもしれぬ。それは」

「捕らえてのちに、妖精王を尋問《じんもん》すればすむことです」

「仮にも王たる者を、尋問するのか？」

驚《おどろ》き怯《おび》えるように問うエドモンド二世に、コレット公爵は鋭《するど》く斬《き》りこむ。

「では妖精王を放置なさるのですか？　民《たみ》を殺し続けている妖精王の仲間である者を」

「それは……」

迷い戸惑うように、エドモンド二世がマルグリットに目配せすると、彼女は暗い瞳で静かに答えた。

「それは、ならぬと仰りたいのでございますね？　陛下。当然でしょう。この状況では、放置はできません」

「そうだな。放置は、できぬ」

「では妖精王と名乗る者全てを捕らえる、あるいは討伐することを命じてくださるのですね」

「いたしかた……ない」

エドモンド二世が歯切れ悪く答えると、許可は取ったとばかりに、コレット公爵はマルグリットを一睨《にら》みし、先頭にいた兵長に向かって命じた。

「王城の外へ、城門内の衛士《えじ》の小隊を出します！　黒髪《くろかみ》に黒い瞳《ひとみ》、際《きわ》だって美しい容姿の妖精を捜《さが》して捕らえるのです！　ただしまだ、その妖精が何者かは民に知らせぬようになさい」

夜明け前から作業に加わったアンは、ほとんど休みなく作業台に向かっていた。作るべき造形の、基本的な形を取るだけでも、かなりの銀砂糖を練る必要がある。ミスリルも辛抱《しんぼう》強くつきあってくれていた。隣《となり》の作業台で作業を始めたキャットは、自分の作る砂糖菓《が》子《し》以外にも、他《ほか》の職人たちの作業を監督《かんとく》するために、度々《たびたび》広場の中を歩き回っている。

夜が明けると、街の中がすこしだけ騒《さわ》がしくなった。何事か気になったらしいキャットが、天幕の外へ出て様子を見てきたが、どうやら王城から、兵士の一小隊が出て、逃亡《とうぼう》した罪人を捜《さが》しているらしいということだった。

その報告に嫌《いや》な予感はした。

もしや追われているのはシャルではないのかと、不安になりかける。だが、できるだけ考えまいとした。そもそもそれがシャルのことだったとしても、兵士たちが捜しているということは、すくなくともシャルは捕《つか》まったりしていないのだ。

ミスリルが運んできてくれたパンと、山羊《やぎ》のミルクを煮込《にこ》んだ甘いスープの昼食を取って、ほとんど休憩《きゅうけい》らしい休憩もせずに、アンはまた仕事に取りかかった。

妖精王と人間王の、対《つい》となる造形は大きい。二つながらに、人間の実物大の、倍の大きさがふさわしいとキャットとともに決めた。

その大きな人の形の芯《しん》にするために、おおざっぱな人型をこねあげて立ちあげていく。練るべき銀砂糖の量は、中樽《ちゅうだる》半分ほどにもなるし、またアンの身長よりもはるかに大きいので、踏《ふ》み台を使っての作業になる。

銀砂糖を練り、積み上げる。また練って積み上げる。その繰《く》り返しで、人のおおざっぱな形にしていく。

しばらくすると、手元が薄暗《うすぐら》くなってきた。もう夕暮れかと、アンは額の汗《あせ》を手の甲《こう》で拭《ぬぐ》いながらミスリルに頼《たの》んだ。

「ミスリル。そろそろ明かりの準備をして欲しいんだけど」

しかし、

「え？」

作業台の上で道具を並べていたミスリルが、訝《いぶか》しげにアンを見あげる。

「なに言ってんだ？」

「え？　だって」

アンは、確かめるように周囲に目をやった。

周囲の景色は薄暗くて、ぼんやりしていた。

ほら、もう暗くなっていると口にしようとしたが、周囲の暗さが急激に増し、しかも自分の視界が、巾着袋《きんちゃくぶくろ》の口を絞《しぼ》るように、急激に狭《せば》まってくる。そのことに驚くと同時に、いきなり頭を強く揺《ゆ》すぶられたような目眩《めまい》を感じた。視界が真っ暗になる。

「アン！」

立っていられずに、固い石畳《いしだたみ》の上にへたりこんでいた。必死に目を開けようとしたが、目を開いているはずの視界は真っ暗だ。石畳の凹凸《おうとつ》のせいで、膝《ひざ》が痛い。立ちあがりたいと思う意識はかろうじてあるが、体に力が入らず、頭がぐらぐらするので、まったく動けない。

「アン！　アン⁉」

肩《かた》にミスリルが飛び乗った重さを感じると、小さな手が、アンの頰《ほお》をぺちぺちと叩《たた》く。

「どうした⁉」

隣の作業台から、キャットが駆《か》けつけてくる声と足音がした。彼の舌打ちが聞こえ、いきなり体がふわりと浮《う》かんだ。シャルとは違う、骨張っている腕《うで》の感触《かんしょく》で、キャットに抱《だ》き上げられたのだとわかった。声が出ず、大丈夫《だいじょうぶ》だと強がることもできない。

「疲《つか》れてるなら、疲れてるって言いやがれ、馬鹿《ばか》が！」

歩き出しながら、キャットが吐《は》き捨てるように言う。

すみませんと返すこともできず、アンはわずかに首を振《ふ》って応《こた》える。自分がこれほど疲労《ひろう》していることに気がつかなかったのは、職人として未熟な証拠《しょうこ》だ。

——でも、わたしは、作らなくちゃ。

気持ちが焦《あせ》る。しかしキャットは、

「おい、ミスリル・リッド・ポッド。パウエル・ハルフォード工房《こうぼう》のこいつの部屋のベッドを、整えろ。運んでやるから、てめぇがきっちり、この馬鹿を休ませろ」

アンの肩の上にいるらしいミスリルに命じた。

――キャット。わたしは、仕事します……。

言いたかったが、やはり声は出ず、意識が遠のいた。


それからアンが再び意識を取り戻《もど》したときには、馴染《なじ》んだ心地《ここち》よいベッドの中にいた。カーテンが開けっ放しの窓からは月光が射《さ》しこみ、傾斜《けいしゃ》した天井《てんじょう》が見える。パウエル・ハルフォード工房にある、自分の部屋だった。

「気分はどう？　アン」

優《やさ》しい声がすぐ近くで囁《ささや》くと、そっとアンの額に人の手が触《ふ》れた。ベッドの脇《わき》に目をやると、キース・パウエルの、穏《おだ》やかで柔《やわ》らかな微笑《ほほえ》みがそこにあった。

「……キース」

すぐには状況《じょうきょう》が思い出せずぼんやりしていた。たくさんのことがありすぎて、それを自分の頭が整理しきれずに混乱しているようだった。しかし朦朧《もうろう》としていたのもつかの間で、すぐに状況を思い出して大きく目を開く。

「キース、わたし！」

飛び起きようとしたが、その肩をキースの手がやんわりと抑《おさ》えた。

「起きちゃ駄目《だめ》だ。すくなくとも、今夜は寝《ね》ていたほうがいい」

「でもわたし、砂糖菓子を作らなくちゃ」

「なにがあったの？　アン。シャルと君に。なぜシャルが、君と一緒《いっしょ》にいないの？」

「作らなくちゃ」

優しいキースの制止を振り切って、それでも起き上がろうと上半身を起こすと、キースが思いがけず強い力で、アンの両肩《りょうかた》を掴《つか》んだ。

「アン。落ち着いて！　聞かせて、なにがあったんだい。シャルはどこにいるの。僕は君とシャルに協力して、見送ったんだ。僕だって気が気じゃなかったんだ。だから、聞かせてもらう権利はあるはずだよね」

砂糖菓子を作らなくてはならないという焦りが大きすぎて、胸を圧迫《あっぱく》し、苦しくなる。呻《うめ》くように言う。

「わたし砂糖菓子を作らなくちゃ」

「なぜそんなに君は焦ってるの？　最初の銀砂糖は、どうしたの？　シャルは？」

キースは何度も何度も、シャルの行方《ゆくえ》を案じる質問をしている。それに答えなくてはならないと、アンはやっと気がついた。

「最初の銀砂糖は、見つけたの。あったの。手に入れたの。でも、とられてしまって……。シャルはそれを取り戻すために、一人で行った……」

そこまで口にすると、突然涙《とつぜんなみだ》があふれてきた。

休む間もなく、次々とアンに降りかかってきた出来事で、我知らず彼女の心も体もいっぱいいっぱいになってしまっていた。けれど驚《おどろ》いたり、哀《かな》しんだり、愚痴《ぐち》を言ったり、戸惑《とまど》っていたりする暇《ひま》はなかった。ただ目の前にある茨《いばら》の藪《やぶ》を、必死に掻《か》き分けながら走っていたような気がする。

だがこうやって落ち着いた暗闇《くらやみ》の中で、優しいキースの言葉に触れると、やっと自分の中にたまっていたものが吹《ふ》き出した。アンは両手で顔を覆《おお》って、膝に顔を伏《ふ》せた。

「アン」

キースの手が、いたわるようにアンの背を撫《な》でてくれる。

「シャルは一人で、行っちゃったの。自分のするべきことを、するって。だから……いない」

「シャルのことだから、きっと、大丈夫。帰ってくるよ」

アンは顔を覆ったまま、強く首を振った。

「帰ってきたら、ずっと一緒にいるってシャルは言った。でも、嘘《うそ》。帰ってくる確証なんかない。嘘だって、シャルだってわかってるのに。わたしだって、わかってるのに」

「アン……休んで。泣いていても、いいから」

　キースが背を抱いてくれる。

「今夜だけは、休んで。お願いだ。そして一晩眠《ねむ》って元気になったら、君はきっとまた、今の君の言葉を跳《は》ね返すくらい、いつもの強い君に戻れるから。ミスリル・リッド・ポッドが、今ね、ベンジャミンと一緒にホリーリーフ城に行ってくれてるよ。ベンジャミンがつけ込んでおいた李蜂蜜酒《すもももはちみつ》を君のためにもらってくるんだって、ミスリル・リッド・ポッドはすごくはりきってた。君、ベンジャミンの李蜂蜜酒飲んだことある？　とても甘くておいしいんだよ。ヒングリーさんなんて、僕がそれを飲むと嫌《いや》な顔《かお》をするくらい。『俺の分は残しとけ』っていつも言うんだ。子供みたいだよね、あの人」

　震《ふる》えるアンの体を柔《やわ》らかく抱きしめながら、彼はあえてたわいない話題を選んで、話しかけてくれている。泣きじゃくる友だちを慰《なぐさ》めるために。

　彼は、とても良い友人だ。誠実で優しい、得がたい人だ。

　銀砂糖が精製できず、シャルとともにビルセス山脈に向かい、そこで銀砂糖妖精《ようせい》筆頭と、ラファルとエリルに会った。

　過去そこにいたエマの幻《まぼろし》とも出会い、最初の銀砂糖が手に入り、瞬《また》く間に奪《うば》われ。そしてシャルとともにルイストンに戻ってくると、彼はアンと別れて一人で行ってしまった。

　全《すべ》てのことが長い悪夢の中の出来事のようだった。

押し寄せてくる出来事は現実なのに、あまりにも衝撃《しょうげき》が強くて、どこか現実味が伴《ともな》わないほど。けれど自分が成し遂《と》げなくてはならない様々なことは、肌《はだ》に食い込むほど強く意識していたから、常になにかに追いかけられ、追い詰《つ》められているような気がしていた。

ぼんやりとした悪夢と、くっきりとした不安と焦燥感《しょうそうかん》。それが混じり合い、アンはおそらく、どうしようもないほど混乱した心を抱《かか》えながら、なけなしの理性がフル回転していた。

今、その感覚のずれが縮まり、溶《と》けて、緩和《かんわ》されていく。

落ち着いたキースの存在でやっと、いつもの地に足のついた感覚が戻ってくるようだった。

七章　妖精たちの内緒話《ないしょばなし》

気が向けば、エリルは風に乗るような速さで駆《か》け、跳躍《ちょうやく》した。そして疲《つか》れればとぼとぼと歩き、また不意に駆け出す。

ひどく疲れていたし、お腹《なか》もすいていた。

しかし食べ物を手に入れようにも、点在する人間の集落は小さく、とても紛《まぎ》れこめるような場所ではない。それなりの大きさの街を探し求め、エリルの足は南へと向かっていた。

移動の速度は、人間よりもよほど速い。道なき道を、岩場を跳《は》ねるようにして、また、深い森の木々の枝に飛び移るようにして突《つ》っ切るので、馬で決まった街道《かいどう》を駆けるよりも速いかもしれなかった。

休まず、木の枝を飛び移る姿を人間が遠く見たならば、大きな銀色の鳥が、気まぐれに枝を渡《わた》り、遊んでいるように見えたかもしれない。

身軽さでいけば、エリルは他《ほか》の二人の兄弟石の妖精王たちよりもすぐれている。

——疲れてしまった……。

ラファルのもとを逃《に》げ出して、二度目の夜だった。

どことなく見覚えのある街道を南に下っていると、月明かりのもとにうずくまる巨大《きょだい》な生き物のように、大きな街の影《かげ》が見えてきた。その街の遠景には見覚えがある。

「あ……王都？」

自分が無意識に、今まで通ったことのある道筋を辿《たど》るようにして南下していたことに、ここでエリルははじめて気がついた。

人間王の膝元《ひざもと》へ赴《おもむ》くのは、さすがにまずいのかもしれないと足が止まった。だがそれと同時に、王都が王国で最も大きな街であるという事実もまた思い出す。

紛れこむのであれば、王の膝元であれなんであれ、人が多ければ多いほど、街が大きければ大きいほど良いのではないか。

しかし、そこは人間王の本拠地《ほんきょち》。

ルイストンへ行くのが、良いのか悪いのか。決断に迷い、エリルは何げなく周囲を見回した。するとで彼の目は、街道の外れに、明かりの灯《とも》る城館の姿を捉《とら》えた。

あの程度の城館であれば、台所には食料が豊富にあるだろう。しかも農家の台所よりも都合がいいのは、城館は規模が大きいことだ。二部屋しかない農家に忍《しの》び込んだら、すぐにでも家人は物音を聞きつけてやってくるだろう。しかし真夜中の城館の台所ならば、ひとけもなく、忍び込みやすい。

空腹も限界だった。

ルイストンへ行くべきか、否《いな》か。その決断を後回しにして、エリルは城館へ向かって歩みをすすめた。

小高い丘《おか》の上に建てられた城館は、中庭を抱《いだ》くように、コの字形に左右に張り出した棟《むね》がある。そして意外なことに、城館の窓には方々明かりが灯っており、その窓の向こう側を行き来する人の姿がかなりある。城館には、城の主《あるじ》と家族、召使《めしつか》いくらいしか住んでいないと思っていたが、意外に大人数が住んでいる。

庭を囲う雑木林の中から、明かりの灯る窓をしばらく見あげていると、あることに気がついた。

「妖精?」

窓の向こう側を行き来する姿は、ほとんど全員が妖精だ。

月が夜空の中で、かなりの距離《きょり》を移動する。その間も、エリルは窓を見あげ続けていたのに、その間に人間の姿を見たのはたった一度だった。

——ここは、なんなの?

驚き、そして不審《ふしん》が募《つの》り、すぐには動けなかった。

そのうち、窓の明かりが一つ消え二つ消え、最後には玄関《げんかん》ポーチに一つ、常夜灯がわりのランタンが芯《しん》を絞《しぼ》って置かれると、それを唯一《ゆいいつ》の明かりにして全ての明かりが消えた。

ここは人間たちが、妖精を集めて監禁《かんきん》している場所なのだろうか。そうならば気をつけなくてはならないが、妖精たちの表情は明るく、くつろいでいた。

色々と考えてはみたが結局、なにもわからない。

それよりもこの城館からは、常にどことなく、良い香《かお》りが漂《ただよ》っていることに、次第《しだい》に気をとられはじめた。それは不思議と妖精が好む香りだ。

台所には、常に香りの良いお茶を準備してあるのだろうか。そして軽い食事の準備でも、常にされているのだろうか。

──行こう。

覚悟《かくご》して、エリルは動き出した。

妖精を誘《さそ》う様々な香りの中には、甘い銀砂糖の香りも混じっている。

雑木林を回りこんで城館の背後へ出ると、台所らしき素朴《そぼく》な木製の扉《とびら》が見える。都合がいいことに、風を入れるためらしく、扉のそばの窓が開いている。手を伸《の》ばして扉の鍵《かぎ》を開ければ、中には入れるだろう。

台所内部には小さな明かりが一つ灯っているが、動き回る人影《ひとかげ》は見えない。

戸口の近くに荷馬車の荷台が置かれていたので、それを回りこんで足音を忍ばせて扉に近づく。最初は試《ため》しに、そっと扉を押してみた。すると驚《おどろ》いたことに鍵がかかっていないらしく、扉はほんのわずかな軋《きし》みの音を立てて内側に開いた。

扉が開くと、ハーブ茶のものらしい、湿《しめ》って暖かな、さわやかな香りが漏《も》れ出てくる。胸一《むねいっ》杯《はい》にその香りを吸い込むと、口元に笑《え》みがこぼれる。

「いい香り」

中に滑《すべ》り込むと、そこはかなり広めの台所だった。

竈《かまど》が壁際《かべぎわ》に七つも並び、水場も広い。

中央には大ぶりな作業台が置かれ、そこに蠟燭《ろうそく》の明かりが一本灯されている。その蠟燭の明かりの周囲には、お茶が満たしてあるらしい大きなティーポットと、重ねられたたくさんのカップがあった。そして木の鉢《はち》に山盛りに盛られた、緑の葉を練り込んだクッキー。そのどれもが、妖精《ようせい》が好きな香りのものだ。

思わずクッキーに手を伸ばし、掌《てのひら》に載《の》せる。掌の上でクッキーはみるみる銀の光に包まれ、ほろほろと溶け崩《くず》れて吸い込まれる。味はしないが、その香りが心地《ここち》よくて体に沁《し》みこむ。

二つ目のクッキーに手を伸ばそうとして、ふと思い立って、ティーポットにも手を伸ばした。重ねてあるカップを一つ取り出し、お茶を注ぎ、手をかざす。ゆらゆらと液面は一気に減り、

エリルはほっとため息をつく。

ラファルとともに逃亡《とうぼう》している間も、銀砂糖妖精筆頭のもとにいたときも、食べるものといえば、果物がおもだった。一番簡単に手に入るし、調理が必要ないからだ。

思えばエリルは、こうやって調理した食べ物を食べるのは初めてだ。味がしないのだから、人間のようにあれこれと味をつけたり煮炊《にた》きする必要はないだろうと思っていたが、こうやっ

て調理されたものを食べてみると、体に沁みこむ満足感が明らかに違《ちが》う。

二枚目のクッキーを手に取り食べると、続けて三枚目も手に取った、その時だった。

「お腹すいてるんだねぇ〜」

ほわっとした声が、いきなり作業台の上にわだかまる暗闇《くらやみ》から聞こえてきたのだ。

エリルは仰天《ぎょうてん》して後ずさり、背後の棚《たな》に激突《げきとつ》し、そこに置かれていた鍋《なべ》やフライパンが派手な音とともに石の床《ゆか》に転げ落ちた。

「……誰《だれ》……」

細い声で問うと、作業台の上の暗い方向から、ちょこちょこと、掌大の小さな妖精が歩み出てきた。妖精はふわふわした緑色の髪《かみ》で、ほんのりしたピンク色の頰《ほお》でおっとり微笑《ほほえ》む、少女のように優《やさ》しげな雰囲気《ふんいき》だった。

「あなた、ホリーリーフ城の銀砂糖妖精見習いの人じゃないよね〜。だって、両方の羽が背中にあるもんねぇ。僕、久しぶりだなぁ。両方の羽がそろってる仲間を見るの」

けして敵意も悪意もない様子に、エリルはすこし落ち着きを取り戻《もど》した。何度か深呼吸して、作業台に再び近づく。

「あなた、誰?」

「僕ぅ? 僕はねぇ、ベンジャミン。本当の名前は違うんだけどぉ、この名前気に入ったんだもん。でも、そういうあなたは誰なのかなぁ〜」

「僕は……」

どう名乗ればいいのだろうかと迷っていると、妖精ベンジャミンはにこにこと笑う。

「渡《わた》り妖精なの？」

「え？」

「知らないかなぁ？　人間に使役《しえき》されずに、うまく人間の世界を渡り歩いてる妖精を、渡り妖精って呼ぶんだけどぉ。あなた片羽をとられてないよねぇ。っていうことは、生まれてから一度も人間に使役されずに来たんでしょう？　上手に世間を渡って」

「上手かどうかなんて、わからないよ。僕は生まれてまだ、一年経《た》ってないもの」

「ああ、そうなのぉ。だからなのかぁ。でもあなた、貴石の妖精だよねぇ。あなたみたいに綺《き》麗《れい》な妖精が、一年も狩《か》られずにすんでるのは運が良かったよねぇ。でも駄目《だめ》だよぉ～。こんなところに不用意に忍び込んだら、危ないもん。ここはたまたま安全だったから良かったけれど、気をつけないといけないもん」

なかなか親切らしいことを言いながら、妖精ベンジャミンは片羽を羽ばたかせてティーポットに取りつくと、カップに新しいお茶を注いでくれる。

「お腹《なか》すいてるんだったら、いっぱい食べていって。それで適当なところで、安全な方法で、渡り歩いてねぇ～。じゃ、僕、これから李蜂蜜酒《すももはちみつ》を小瓶《こびん》に取りわけにいかなきゃいけないのぉ。またどこかで会えたらねぇ～」

ほわほわ笑って手を振《ふ》ると、ベンジャミンは背中を見せてほとほと歩いて行こうとする。エリルは慌《あわ》てて、彼の前に顔を出して行く手を遮《さえぎ》った。

「待って！　ここは何をする場所なの？」

「ここ？　ここはねぇ、銀砂糖妖精を育てるための場所なの。うんとねぇ、砂糖菓子《がし》職人になれそうな素質のある妖精たちが集められて、修業《しゅぎょう》してるのぉ。でも僕は銀砂糖妖精の見習いじゃなくて、お料理担当だけどね～」

エリルは驚き、目を見開く。

――この場所が？

確か、アンが言っていた。そんな場所があるのだと。人間と妖精が仲良くするために人間たちが作ったという、その場所だ。

――アン。

思い出すと、胸が痛んだ。ズボンのポケットに入れたままになっている銀砂糖の重さを思い出しそうになり、エリルは首を振った。考えたくない。

とにかく今は、人間に狩られず、食べるものを手に入れ、安全な場所で眠《ねむ》る。そんな方法を見つけたいだけだ。

油断してはならないだろうが、それでもベンジャミンは、それほど悪い妖精には思えない。できるならば、これからの先行きに必要な情報や知識を得たいと思った。

「ねぇ、どうすれば人間に狩られずに、うまく生きていけるの？　僕は食べ物を手に入れるのさえ、うまくできない」

「うぅん～。それは色々方法があるんだよねぇ」

ベンジャミンは考え深げに腕組《うでぐ》みして首を傾《かし》げる。

「あなた、その方法知っているの？」

「知ってるもん。よ～く、知ってるもん。僕、渡り妖精だったんだもん。しかも二百年以上も人間世界を渡り歩いた、結構なベテランだったんだしぃ。でもねぇ、色々やりかたがいっぱいあって、条件によって変えたりしなくちゃいけないから、複雑なんだよね～。すぐに教えられるものでもないのぉ」

二百年、人間世界をうまく渡り歩いたというのは、なかなかすごい話だとエリルは目を丸くした。エリルはたった二日間でさえ、食べるものに困り、眠る場所に困り、人間の目を避《さ》けるのに苦労していた。

ベンジャミンの知識があれば、エリルは誰にも煩《わずら》わされることなく、気ままに、苦悩《くのう》なく、過ごせるはずだ。

「教えてくれない？　ねぇ。その方法」

「でも言ったでしょう～？　そんなにすぐには、教えられないし、身につかないんだよぉ」

「時間がかかってもいいから、教えて。ねぇ、教えてよ」

すがるように見つめると、ベンジャミンはエリルを見あげて、うふっと笑った。そして、

「あなた、可愛《かわい》いねぇ〜。キャットの次くらいに、可愛いねぇ〜」

と、なんとエリルの鼻の頭を「いい子、いい子」するように撫《な》でた。エリルはきょとんとしてしまったが、特に嫌《いや》な感じはしなかった。

「駄目？」

ねだるように再度問うと、

「うん、いいよぉ。あなたみたいな可愛い子が、ひどい目にあうのは見たくないもん」

笑みを深くし、ベンジャミンは言った。

「本当？」

「うん。立派な渡り妖精になれるように、僕が教えてあげるぅ〜」

「ありがとう！」

エリルは思わずベンジャミンを両手ですくいあげると、その頬に口づけた。ベンジャミンはくすぐったそうに身をよじり、くすくす笑いながら言った。

「とりあえず、あなたのその目立つ姿をなんとかしないとねぇ」

「どうするの？」

「うふふ、任せて」

ベンジャミンは請《う》け合うと、エリルの手から飛び降りて、ごそごそと台所の戸棚《とだな》の中を探《さぐ》っ

た。そして取り出してきたのは、大ぶりのナプキンと、煤《すす》を払《はら》うための小さな箒《ほうき》、そして白い粉だった。

「まずはねぇ、片羽に見せかけないとぉ。両羽そろってるってだけで、妖精狩人《ようせいかりゅうど》が飛んでくるもん。怖《こわ》いよねぇ、嫌になっちゃうよねぇ」

言いながらベンジャミンは大きなナプキンを手に羽ばたき、エリルの肩《かた》に乗った。そして身につけていた、汚《よご》れたマントを脱《ぬ》ぐように指示して、一つ警告をしてくれた。

エリルは羽を隠《かく》すつもりでマントを羽織っていたが、すこし歩いただけでマントの裾《すそ》は翻《ひるがえ》って、羽の先はしっかり見えているのだ、と。だからこれでは、羽を隠すには充分《じゅうぶん》ではないらしい。

マントを脱ぐと、ベンジャミンはナプキンでエリルの片羽をまとめて包み込み、胸の前でナプキンの両端《りょうはし》を結《ゆ》わえ、羽の根元で固定した。こうすれば片羽はゆったりとナプキンに包み込まれ、付け根のあたりで隠せる。マントを羽織っていれば、片羽に見せかけることができるのだという。

それから白い粉を、頭に振りかけられた。

これは食材のあく抜《ぬ》きに使う薬品らしく、エリルの髪《かみ》に触《ふ》れると、触れた場所がまだらに赤茶けた色になった。しばらくすればもとの色に戻《もど》るらしいが、それでも当面は髪の色を誤魔化《ごまか》せる。

そして最後は箒の煤を手にとって、ベンジャミンはエリルの顔全体に、薄《うす》く汚れをつけた。

それから再び汚れたマントを羽織るように指示された。

言われたとおりにマントを身につけると、ベンジャミンは満足したようにエリルを見あげた。

「顔の綺麗さは変えられないけどぉ、格段に目立たなくなったから、良しとしようかなぁ」

うんうんと、ベンジャミンが頷《うなず》いていると。

「なにやってんだよ！　ベンジャミン。多忙《たぼう》な俺様を、どんだけ待たせるんだ！」

いきなり、廊下《ろうか》側に通じるらしい扉《とびら》が開いた。

廊下の明かりを背に受けて、逆光で仁王《におう》立ちするその姿は、こちらもベンジャミンと同様の小ささ。そしてその声には聞き覚えがあった。

エリルは息が止まりそうになる。

――ミスリル・リッド・ポッド!?

それは間違《まちが》いなく、アンとシャルの友人で、ビルセス山脈の奥深くまでともに旅し、そして命を救ったはずの妖精だった。

「おい、なんだ？　そいつ」

ミスリルが不審《ふしん》げに片眉《かたまゆ》をあげると、ベンジャミンがふわふわと答える。

「僕の昔なじみの友だちだよぉ～。台所仕事が昼夜連続で忙《いそが》しいからねぇ、キャットに頼《たの》んで妖精商人から彼を買い取ってもらって、お手伝いに来てもらったのぉ」

すらすらとベンジャミンの口から出てくる嘘《うそ》は、嘘と思えないほど自然だった。

「へぇ～」

ずんずんとミスリルが部屋に入ってくると、エリルは緊張《きんちょう》して表情が強《こわ》ばった。ミスリルはエリルの足元まで来て彼を見あげ、いぶかるような、胡散臭《うさんくさ》そうな目をする。

「おまえ……なんか、どこかで見たことあるな」

「……そう？」

できるだけ声をかすれさせて答えたが、まるきり違《ちが》う声にはならなかったはずだ。しかしミスリルは、

「ま、いいや」

と、けろりとした顔をして、腰《こし》に手を当てる。そしてふんぞり返った。

「俺様は、ミスリル・リッド・ポッド様だ。なにを隠そう、五百年ぶりに出現する、色の妖精という職人になるはずの、見習いの見習いだ。よろしくな。で、おまえの名前は？」

いきなり偽名《ぎめい》など思いつかず、エリルは熟練の嘘つきらしい妖精に助けを求め、ベンジャミンに視線を向けた。しかしベンジャミンはなんと、作業台の上に座りこんで、こくりこくり船を漕《こ》いでいた。

——さっきまで起きてたのに!?

唐突《とうとつ》なベンジャミンの入眠《にゅうみん》に、エリルは愕然《がくぜん》とし、焦《あせ》った。

「おい、名前だよ。名前」

「名前は……忘れた」

言い訳としてはあまりにもまずい気がしたが、咄嗟《とっさ》に口をついて出たのは、名を名乗らなかった銀砂糖妖精筆頭の言葉だった。

「忘れたぁ!? 自分の名前を!? 名前ってのは、響《ひび》きだろう!? 自分自身が持っている響きを忘れられるのか!? おまえ馬鹿《ばか》なのか!?」

呆《あき》れたようにミスリルは言い、ベンジャミンを指さす。

「じゃ、友だちのこいつは、おまえのことなんて呼んでるんだよ」

「それは、なんとなく。適当に……」

「そうか……。こいつはちゃんとした名前がある俺様のことも、適当に呼ぶからな……」

がっくりと肩を落とし、ミスリルは項垂《うなだ》れた。そして再び顔をあげると、その眼《め》には深い同情がある。

「可哀相《かわいそう》に。自分の名前を忘れちまうくらい頭が涼《すず》しい上に、名前を忘れたのをいいことに、こいつに適当な名前で呼ばれ続けるなんてな。不憫《ふびん》すぎる」

彼の同情の言葉はもの凄《すご》く失礼な気もしたが、怒《おこ》れるほど、エリルには余裕《よゆう》がなかった。気づかれないかと、はらはらしどおしだ。ミスリルは元気づけようとするかのように、エリルのブーツの甲《こう》を叩《たた》く。

「いいさ、いいさ。俺様が立派な名前をつけてやるからな、心配するなよ。え〜と、え〜と」

しきりに首をひねってから、ミスリルはぽんと手を打った。

「ワンワンちゃん、てのはどうだっ⁉ ベンジャミンの相棒がキャットなんだから、ベンジャミンの友だちのおまえはワンワンだ！」

生後一年足らずのエリルにすら、「ワンワン」が、ふざけた名前なのはわかる。さすがに一《いっ》瞬《しゅん》、

――この人、蹴《け》っ飛ばそうかな……。

そう思ったが、こらえた。しかしミスリルはふざけているつもりはないらしく、かなりご満《まん》悦《えつ》で、うんうんと納得《なっとく》したように頷き、

「いいじゃないか、抜群《ばつぐん》にセンスのある名前だ！　おい、おい、ベンジャミン！」

作業台の上に飛び乗ると、船を漕いでいるベンジャミンの肩を揺《ゆ》すぶった。ぽかんと目を開けたベンジャミンは、

「ああ、ごめんねぇ〜。いろいろ頑張《がんば》っちゃったから、疲《つか》れて居眠《いねむ》りしちゃったみたい」

「おまえはいつでも寝《ね》てるだろうが！　それよりか、よく聞けよ。おまえの、名前を忘れちまった気の毒な友だちに、今、俺様が名前をつけたからな。この瞬間《しゅんかん》からこいつは、ワンワンちゃんだ。いいなっ！」

びしっと、ミスリルはエリルを指さす。

「へぇ～。そうなのぉ。わかったよぉ」

ほわほわと笑いながら、ベンジャミンは頷く。

「いいな、ワンワンちゃんだぞ」

「うん。わかったぁ」

言いながらベンジャミンは立ちあがり、伸《の》びをした。

「じゃあ、李蜂蜜酒《すももはちみつ》を小瓶《こびん》に取りわけに行かないとねぇ～。行こうかぁ、あなたも。ええっと」

ベンジャミンはエリルをふり返り、小首を傾《かし》げる。

「え～とぉ、え～とぉ、ニャンニャン、ちゃん？」

「そうそう、ニャンニャン……じゃなくて、ワンワンだっ！」

肩を怒《いか》らせてミスリルは訂正《ていせい》したが、エリルはどちらでもいいと、なんとなくあきらめの境地だった。どちらも、ひどい名前なのは変わりない。

とりあえずラファルからもシャルからも離《はな》れている。

ミスリルにも気づかれずに、当面の居場所を見つけられたのだから、幸運だ。

うまくすればベンジャミンから渡《わた》り妖精の知識を授《さず》かり、自由に気ままに生きられる道が見つかるかもしれない。

ウェルノーム街道《かいどう》沿いにあるその村は、放棄《ほうき》されてさほどの時間がたっていないらしかった。

戸数は七軒《けん》ほどで、それらがお互《たが》いの戸口を見守るように、ほぼ円形に配置されて建っていた。庭には雑草が繁茂《はんも》して戸口の前まで押し寄せ、家を囲む柵《さく》にも雑草が絡《から》まり、覆《おお》い隠《かく》されている。

流行病《はやりやまい》でもあり、村の住人たちが死に絶えたのか。それとも生活に窮《きゅう》し、一人二人と、職を求めて街へ引っ越《こ》したのか。

どちらにして、ラファルにとっては都合のいい休息場所だった。

ノーザンブローで妖精《ようせい》商人と妖精狩人《かりゅうど》を襲《おそ》い、新たな仲間を加え、ラファルが率いる妖精たちの数は五十人強になっている。食事だけでも大変だが、ラファルはここに来る前、通過した人間の村を襲撃《しゅうげき》し、食料と馬を手に入れた。反撃《はんげき》を試みた人間たちは殺したが、その他《ほか》は生かしておいた。生かしておいた連中もまた、泡《あわ》を食って州兵のところへ駆《か》け込むはずだ。

仲間たちはそれぞれの空き家に分かれて、体を休めている。

ラファルは一人だけ、一軒の家に入り、誰《だれ》も近づかないように命じた。

人間から奪《うば》ったパンとワインの食事を済ませると、空っぽになっていたベッドに横になった。

両手を胸の前に組み、仰臥《ぎょうが》して目を閉じる。背にあたるベッドの板の感触《かんしょく》は、以前、押しこめられていた棺《ひつぎ》を思い起こさせた。

目覚めたあのとき、自分が横たわっているのが棺の中だと悟《さと》った瞬間は、いっそ笑い出したくなった。皮肉な運命が呪《のろ》わしかった。

いっそ死んでいれば楽だったかもしれないのに、運命はラファルに生きろと命じたのだ。

そして棺の蓋《ふた》を開き、ラファルを救い出したのはエリルだった。

棺の蓋を開いた瞬間目にした、銀色の髪《かみ》と銀の瞳《ひとみ》の、兄弟石の妖精は、体が震《ふる》えるほどに美しかった。その背に二枚の羽を持つ完璧《かんぺき》な姿が、なによりも高貴な存在に思えた。

ラファルがそう感じたくらいだから、他の妖精たちもそうなのだろう。

ラファルが率いている妖精たちは、自らの羽を、自らで持っている。それでも彼等はエリルにならば、ついていこうとしている様子だった。今、彼等がラファルに従っているのは、エリルがラファルを慕《した》っているのを知っているからで、本来ならエリルのもとで力を尽《つ》くしたいはずなのだ。彼等はそのために、ラファルと共にエリルを探しているにすぎない。

かつてラファルは妖精たちの羽を握《にぎ》って支配したのに、エリルは、自然と他者を支配する。

その違い。

「それこそ、真の妖精王の証《あかし》」

口にすると微笑した。

所詮《しょせん》、自分やシャルはまがいものの妖精王だという気がする。そうであるならば、ラファルはエリルが、真の妖精王にふさわしく、誇《ほこ》り高くあれる世界を作りたい。そのためならば、なんでもしてやろう。

とりあえずは、シャルの思惑《おもわく》を阻止《そし》しなくてはならない。

人間と馴《な》れ合い、いいように調教され、結局は態《てい》のいい下僕のような存在になど、エリルを絶対にさせてはならない。こうやって荒《あ》れ狂《くる》っていれば、もはやシャルが思い描《えが》く、人間との誓約《せいやく》などという生ぬるい幻想《げんそう》は、人間のほうから消してくれる。

徒党を組み、圧力をかけるようにルイストンに向かって南下しながらも、特に目的があるわけではない。その道すがら人間を襲い、必要なものを奪っていれば、それだけで凶悪《きょうあく》な妖精王の存在は誇示《こじ》される。

それでいいのだ。

妖精王とは名ばかりの、ならず者のようだが、かまわない。

所詮ラファル自身は、エリルを真の妖精王にするためにリゼルバが準備した、捨て駒《ごま》にすぎない存在に違《ちが》いないのだと思う。

人間の軍隊が押し寄せてきたとき、勝てるなどという、馬鹿な夢も見ていない。

ただラファルは、エリルを探し出したかった。そして彼に、自分の使命を思い出させたかった。妖精たちの王として妖精を配下に集め、人間と戦い、真の妖精の王国を手に入れて欲しかった。

閉じた瞳の奥で、ラファルは想像した。

今はまだ幼く、ともすれば不安定に心を揺らすエリルが、己《おのれ》が王であるという自覚を持ち、強い意志を持って妖精たちの先頭に立つ姿を。彼が王として決然と、ラファルに向かって「息が止まるまで、人間を殺し戦い続けろ」と命じれば、ラファルはたった一人でも、喜びに震えながら人間の軍団に戦いを挑《いど》むだろう。

エリルが王として確固たる意志で命じるのであれば、それがどんな残酷《ざんこく》な命令でも、理不尽《りふじん》な命令でも、喜んで従うつもりだ。

――汚《けが》れのない、真の妖精王。

その誕生の瞬間を、ラファルは待ち望んでいた。そのために彼は荒れ狂い続ける。


国王エドモンド二世の執務《しつむ》室から続く隠し通路を抜《ぬ》けると、ぼんやりとした明るさが落ちる小さな空間に出た。隠し通路の出口は、どうやら空井戸《からいど》の底らしかった。

見あげると、井戸の側面は石を積み重ねて整えられていた。だがその所々に、手足をかけるための窪《くぼ》みが、さりげなく配置されている。それを足がかりにして、シャルは難なく井戸から這《は》い出ることができた。

そこは煉瓦《れんが》造りの小さな建物の奥で、壁際《かべぎわ》には槍《やり》が立てかけられて整然と並んでいた。

おそらく衛士《えじ》たちの詰《つ》め所なのだろう。

表に繋《つな》がる扉《とびら》をそっと開いてみると、テーブルと椅子《いす》が乱雑に置かれている。衛士の休憩室《きゅうけい》のようだったが、人の姿はなかった。そこでそのまま建物の外へ出た。

太陽はすっかり顔を出していた。

ルイストンの街も活気づきはじめた時間帯で、市場へ向かう荷馬車の車輪が、石畳《いしだたみ》を踏《ふ》む音が遠く聞こえていた。

王城の北側に位置するらしく、道幅《みちはば》は南側に比べて多少狭《せま》い。しかしこんな道を歩いていては目立つことこの上ない。とりあえず目についた路地へ身を滑《すべ》り込ませた。

すると間一髪《かんいっぱつ》で、表通りを、兵士の一団がばらばらと駆けていく足音が聞こえた。

──俺を追っているのか。

壁に背をつけて兵士をやり過ごしながら、シャルは苦笑《くしょう》する。

──これで立派なお尋《たず》ね者だな。ラファルと大差がない。

自らの望みとはどんどんかけ離れていく状況《じょうきょう》を思うと、笑いたくなる。なぜ自分がこんな真《ま》似《ね》をしているのか、不思議にさえなってくる。

いっそ自らに託《たく》されたリゼルバの思いも、同胞《どうほう》たちの覚悟《かくご》や願いも、妖精としての誇りも、一切合切《いっさい》捨て去って、アンだけを連れて王国の外へ逃亡《とうぼう》してしまってもいいのかもしれない。そうすればシャルは命の危険もなく、ずっと恋人《こいびと》と一緒《いっしょ》にいられる。もしアンが、そうしてもいいと頷《うなず》いてくれるならば。

そこまで考えて、さらにシャルは声を殺して笑いはじめる。

――あいつが、銀砂糖のない国へ行くはずがない。

もし銀砂糖が世界から消えてしまえば、彼女はおそらく、今のままの彼女ではいられなくなる。そして過去の妖精王の思いも、妖精たちの覚悟や願いも、妖精としての誇りも、一切合切捨て去ったシャルに、おそらくアンは失望する。ずっと一緒にいたいと願った恋人の心が、するりとシャルのもとから逃《に》げ出してしまうだろう。

どのみち、シャルには選択《せんたく》の余地がない。

アンを愛したときから、シャルは、逃げることは許されなくなっていたのだ。まるでシャルは、アンに支配されているかのようだ。それもシャルが自ら進んで、支配されようとしているのだ。

その事実が驚《おどろ》きであり、また喜びでもあった。そしてその事実が、シャルに明確な覚悟と道を示す。逃げ出せないなら、戦うのみだ。

今必要なことをするために、知恵《ちえ》を働かせ、剣《けん》を振《ふ》るう。

王国から追われる身になったとしても、シャルはラファルと決着をつけ、そしてエリルを探し出して最初の銀砂糖を取り戻《もど》す。それがやるべきことだ。

まずは一つだけでも、人間王との約束を果たす必要がある。となればエリルよりも所在が摑《つか》みやすいだろう、ラファルだ。彼は人間たちを襲《おそ》ったというのだから、その足取りはエリルに比べ、情報として得られる可能性が高い。

「情報……」

最も速く、正確に、王国で一番多く妖精《ようせい》の情報を集めているのは、おそらく妖精商人。その長《おさ》である、レジナルド・ストーだ。

「狼《おおかみ》か」

妖精を売りさばく、狼のように抜け目ないあの男だ。あの男の情報によって、コレット公《こう》爵《しゃく》はビルセス山脈に兵士を派遣《はけん》し、事情をより複雑にしてしまった。

いっそレジナルドを殺してやりたいが、彼の持つ情報は必要だ。

狼の居所を見つけ、情報を引き出さねばならない。商人である彼が対価なく情報を出すとは思えないが、そのときは刃《やいば》を突きつけてでも聞き出さなくてはならない。

シャルは壁から背を離《はな》し、周囲の気配を窺《うかが》いながらも、そろりと路地の奥へと進み始めた。

まずは狼の居所だが、当てはある。

妖精商人と王家は様々な交渉《こうしょう》を終えたばかり。実務的な細かな段取りを、すすめていく時期だ。このときならば、ギルドの長がルイストンに滞在《たいざい》している可能性は高い。

もしレジナルドがルイストンに滞在しているとするならば、以前、アンとともに連れていかれた、彼の隠《かく》れ家らしき家に向かえばいい。場所も覚えていた。

シャルを捜《さが》し回っているだろう兵士たちの気配を避《さ》けつつ、西の市場近くの、薄暗《うすぐら》い路地へ向かった。

人一人がやっと通れる程度の路地の一角に、その家はあった。周囲から壁が迫《せま》っているので、昼間でも薄暗いその家の出入り口は、狼が身を潜《ひそ》める穴蔵《あなぐら》にそっくりな雰囲気《ふんいき》がある。そっと扉を押してみるが、案の定鍵《かぎ》がかかっている。扉に耳をつけて中の物音を聞くが、こそりとも音がしない。

そこでシャルは扉に耳をつけたまま、扉を軽くノックした。するとノックが終わった瞬間《しゅんかん》、微《かす》かに椅子が軋《きし》むような音がした。

中に、人がいる。おそらくレジナルド・ストーだ。

だがあの用心深い狼が、簡単に扉を開けるとは思えない。この扉を開かせるには、彼が興味をそそられる取引を持ちかけるしかないのかもしれないが、シャルは何一つ取引の材料を持っていない。自分自身の命である片羽さえも、今は人間王に預けているのだ。

シャルに今あるのは、ただ己の身一つだけだ。

――そうか。

そこまで考えると、シャルは扉から耳を離して、改めてもう一度ノックをした。そして、

「レジナルド・ストー。俺が誰《だれ》か、わかるな?」

呼びかけた。中から返事はなかったが、そのまま声をひそめて続ける。

「知っているか? ノーザンブローで、妖精商人が襲われ殺された。犯人はおまえが取引に利用した妖精、ラファル」

既《すで》に王城に到着《とうちゃく》している情報を、レジナルドが知らないとは思えなかった。ギルドの構成員である妖精商人の殺害事件を、ギルドの長ならば、王城に連絡《れんらく》が届く前に受け取っているかもしれない。

「ラファルは、妖精商人を殺し続けるぞ」

言いながら、右掌《みぎてのひら》を上向きにして、軽く開いて意識を集中すると、そこにきらきらと光が寄り集まって剣の形になる。それを背に隠すようにして下げ持つ。

「王国兵士も、おそらく奴《やつ》には手こずる。奴と対等に戦えるのは、俺だけだ」

微かに、床《ゆか》を踏むブーツの足音がした。シャルは身構える。

「俺が奴を滅《ほろ》ぼす。おまえたちと王国との交渉が終わったのならば、次に必要なのは身の安全じゃないか? 狼。ここを開けろ。情報をよこせ。ラファルがどこに現れているか、その情報があれば俺が追って、殺してやる」

「ずいぶん親切じゃないか? 妖精。どういう風の吹《ふ》き回しだ」

魅力《みりょく》的で低いレジナルドの声が、からかうように初めて答えた。

「俺はわけあって、あいつを殺す必要がある。おまえもあいつに利用価値がなくなった今、妖精商人を襲う厄介《やっかい》なだけの相手だろう。目的は同じだ」

「なるほど」

沈黙《ちんもく》が落ちたが、しばらくすると扉の鍵がかちりと開いた音がした。

その瞬間、シャルは扉の中に滑り込み、扉の前にいた人物の肩《かた》を摑み、扉の脇《わき》の壁に押しつけていた。手にした刃を首もとに突きつけ、相手の顔を改めて見る。と、目を見開き恐怖《きょうふ》に引きつった表情をしているのは、髭面《ひげづら》の男だった。確かレジナルドとの仲介《ちゅうかい》役をした男だ。

——後ろか!?

背後から迫った気配に、壁に押しつけていた相手を離し、身をかがめて横に飛び退《の》く。と、シャルがさっきまで立っていた場所を短い銀の刃が一閃《いっせん》した。

床に片膝《かたひざ》をついた姿勢で剣を構え、シャルは呻《うめ》く。

「レジナルド・ストー」

「外したか」

灰色の髪《かみ》と、暗い灰色の瞳《ひとみ》をした妖精商人ギルドの長は、手にした銀のナイフを軽く持ち替《か》えてから、シャルに向き直ってにやりと笑った。暗い髪色と瞳の上に、黒の上衣《うわぎ》と灰色のズボンという色彩《しきさい》の極端《きょくたん》にとぼしい彼の首には、異様に目立つ赤いタイが巻かれている。

「いきなり剣を振り回すとは物騒《ぶっそう》じゃないか？　妖精」

「お互《たが》い様《さま》だ。狼。貴様が自分の懐《ふところ》に飛びこんでくる妖精を、捕獲《ほかく》しないわけはない。違《ちが》うか」

「それがわかっていて、なぜ来た？」

「俺を捕《つか》まえても、妖精商人には利用価値がないからだ。俺の片羽は、ある人間に渡《わた》してある。俺を売りさばこうにも、命令を聞かせようにも、握《にぎ》って脅《おど》すべき片羽がない」

「鎖《くさり》をかけて、身動きが取れないようにして売る方法もある。無論、買い主には片羽がない事情は説明するし、取り扱《あつか》いには注意が必要だが。ある程度楽しめれば、すぐに死んでもかまわんという客もいる」

鋭《するど》い刃のナイフを構えながら、にやりと笑うレジナルドの方へ、髭《ひげ》の男がそろそろと膝《ひざ》で這《は》って床の上を逃げていく。

「簡単に扱えると思うのか？　俺を」

「売る客を選ぶ必要はある」

「特定の客にしか売れない、厄介な商品を一つ増やすか？　それともギルドの長として、妖精商人たちの命を一人でも多く守るか？　どちらがいい？」

シャルの問いに、レジナルドの目が面白《おもしろ》そうに細まる。

「ほぉ、妖精が生意気にも、わたしと駆《か》け引きか？」

「おまえには貸しがあるはずだ」

「貸し？　商人に向かって、貸しがあるというのか？」

「俺たちの情報を、コレット公爵に売ったな？」

非難の響《ひび》きのある言葉を小馬鹿《こばか》にするように、レジナルドは微かに笑った。

「売ったのであれば、なんだと？」

「その情報をおまえが売った結果、俺はラファルを殺しそこねた。奴を殺せなかったばかりに、奴は妖精商人を襲い殺した。これからも奴は殺し続けるはずだ。おまえが情報を売らなければ、ラファルは俺が殺していた。だから奴が生きて妖精商人を殺しているのは、おまえの責任だ。長でありながら、おまえはギルドの妖精商人たちの命を危険にさらす真似《まね》をしたんだ」

レジナルドが、すっと無表情になる。レジナルドの足元に這《は》い寄っていた髭面の男が、不安げに、自らのギルドの長を見あげる。

「なにが言いたい」

「ギルドの長としての誓《ちか》いは、ないのか？」

今度はシャルが、薄《うつす》らと笑う番だった。

「俺は妖精商人たちに、百年近く売られ買われてきた。おまえたちの社会のことならば、だいたいわかる。妖精商人ギルドに加入するとき、妖精商人は誓いを立てるだろう。ギルドの掟《おきて》を守り、ギルドの結束を保つと。そのかわりにギルドは、妖精商人に対して商売の安定と安全を保証してやると約束する。安定と、安全だ。ギルドの長はそれを約束している。違うか？　そしてそのギルドの長としての約束を果たさない、果たせない長は、ギルドに参加する妖精《ようせい》商人たちにより私刑《しけい》にされても文句は言えないはずだ。実際、六十年ほど前だったか、妖精商人ギルドの長《おさ》が、吊《つる》されたはずだ。俺は見ていた」

鈍《にぶ》い輝《かがや》きのナイフを牽制《けんせい》しながら、シャルはそのかすように囁《ささや》く。

「厄介な商品を一つ増やすか。長として妖精商人たちの安全を確保するために、俺に情報を提供するか。どちらが得だ？　商人ならば計算しろ。狼《おおかみ》」

無表情にシャルを見つめていたレジナルドは、不意に顔を伏《ふ》せ、くっと笑った。そして構えていたナイフをいきなり、自分の真横にあった柱に突《つ》き立てた。

「妖精に金勘定《かねかんじょう》をしろと言われるとはな、なかなか面白いじゃないか」

ナイフの柄《つか》から手を離《はな》すと、レジナルドは顔をあげた。

「わたしの計算を聞きたいのか？」

「いや」

シャルも構えをとき、剣《けん》を下げ持ちレジナルドを正面に見据《みす》える。

「抜《ぬ》け目ない商人は、計算を間違《まちが》えないはずだ。答えは、知っている」

あとがき

　こんにちは。三川みりです。

　今回は、前巻に始まった砂糖菓子作《がし》りが、じわじわと進行をしております。そして今まさに職人さん達が作りつつあるこの砂糖菓子は、次巻で完成予定です。

　勘《かん》の良い読者の皆様《みなさま》は気がついておられるかと思いますが、この砂糖菓子の完成とともに、アン達の物語は終わります。

　あと一息というところですが、実は、昨年の秋に最終巻まで書き終わっているので、わたし自身は結構落ち着いています。

「シュガーアップル・フェアリーテイル」の一巻は、投稿《とうこう》作品です。当然、これほど長く書き続けることができるとは、微塵《みじん》も思っていませんでした。心構えもなく書き始めることになり、そのために書き続けている間、「自分の精神的にも体力的にも、物語の最後まで書き続けることができるのだろうか」と、度々《たびたび》不安に思っていました。

　なので、この物語を最後まで書きあげられただけで、自分的には万歳《ばんざい》！です。

　担当様。「銀の守護者」から最終巻まで、一気に書きあげた方がいいとアドバイス頂いたからこそ、今があります。本当に本当に、的確にご指導頂き、感謝がつきません。ありがとうございます。担当様との出会い、お話しさせて頂けたこと、全《すべ》て大切な財産です。

いつも美しいイラストを描《か》いてくださる、あき様。毎回本当にありがとうございます。いつもアンとシャルの可愛《かわい》さや華麗《かれい》さに惚《ほ》れ惚《ぼ》れしますが、今回はさらに、キャットを美しいイラストで見られて幸せです。あと一冊となりましたが、最後まで、よろしくお願いいたします。

長らく続きましたシュガーアップルも、あとは最終巻のみとなりました。

この本の発売の翌月（二〇一四年六月）、別シリーズの「封鬼花伝《ふうきかでん》」三巻が出ます。

そしてその後、ちょっと間をあけてから、シュガーアップル最終巻が皆様の目に触《ふ》れる形になるかな、という感じみたいです。

が、全てはあくまで予定なので、なんとなくと思って頂ければ幸いです。

ただし、最終巻のタイトルだけはもう決まってます。これだけは変わらないと、確信しています。毎回タイトルで苦労したシリーズですが、最終巻だけは自分の中でもすんなり決定したので、そうあるべくしてあるタイトルなのかな、と感じています。

アン達の物語の結末まで、つきあっていいと思ってくださる方がいましたら、最終巻で、お目にかかりたいです。心から、再び、最後に、お目にかかれることを願っています。

三川　みり

BEANS BUNKO

「シュガーアップル・フェアリーテイル 銀砂糖師と緋の争乱」の感想をお寄せください。
おたよりのあて先
〒102-8177 東京都千代田区富士見2-13-3
株式会社KADOKAWA 角川ビーンズ文庫編集部気付
「三川みり」先生・「あき」先生
また、編集部へのご意見ご希望は、同じ住所で「ビーンズ文庫編集部」
までお寄せください。

シュガーアップル・フェアリーテイル 銀砂糖師《ぎんざとうし》と緋《ひ》の争乱《そうらん》

三川《みかわ》みり

角川ビーンズ文庫 18546

平成26年5月1日 初版発行
令和6年3月5日 5版発行

発行者――――山下直久
発 行――――株式会社KADOKAWA
〒102-8177 東京都千代田区富士見2-13-3
電話 0570-002-301（ナビダイヤル）
印刷所――――株式会社KADOKAWA
製本所――――株式会社KADOKAWA
装幀者――――micro fish

●お問い合わせ
https://www.kadokawa.co.jp/（「お問い合わせ」へお進みください）
※内容によっては、お答えできない場合があります。
※サポートは日本国内のみとさせていただきます。
※Japanese text only

ISBN978-4-04-101528-5 C0193 定価はカバーに明記してあります。

◆◇◇